命のビザ、
遥かなる旅路
杉原千畝を陰で支えた日本人たち

北出　明
Kitade Akira

交通新聞社新書 044

序章　一本の電話

1940年、ニューヨークはマンハッタン五番街630番地。

威容を誇るロックフェラーセンターの一角を占めるインターナショナル・ビル。ここに、日本総領事館をはじめとする日本の関係機関の事務所が入居していた。

ある日、その一つに一本の電話がかかってきた。

それがすべての始まりだった。

「もしもし、こちらはウォルター・ブラウンという旅行社です。

実は、当社では全米ユダヤ人協会からの依頼で、ナチス・ドイツの迫害によって命を脅かされているユダヤ人を救い出すための協力を行なっています。ご承知だと思いますが、昨年ドイツがポーランドに侵攻したため、ポーランドに住んでいるユダヤ人が大挙してヨーロッパを逃れようとしています。しかし、ドイツが勢力を広げてきたために彼らの脱出ルートのほとんどが閉ざされてしまっているのです。現在残された唯一のルートは、シベリア鉄道でウラジオストクまで行き、そこから海路日本に渡り、日本を経由してアメリカに来るというもので、これが彼らにとって最後の手段なのです。

そこで、御社にお願いしたいのは、ウラジオストクから日本、そして日本からアメリカまでの彼らの輸送ですが、引き受けてもらえないでしょうか?」

この依頼を受けたのはジャパン・ツーリスト・ビューローのニューヨーク事務所で、電話の応対をしたのは現地職員のヘイゼル・アリソンだった。

ジャパン・ツーリスト・ビューローとは、後の日本交通公社、現在のJTBの前身で、同社はアメリカ人観光客を日本に誘致するため1928年にニューヨークに事務所を開設し、宣伝活動の拠点としていた。当時この事務所には本社派遣の所長、次長、それに前述の現地職員の3人が勤務していた。

ヘイゼル・アリソンは、ヨーロッパのユダヤ人に対するナチス・ドイツの迫害の余波がいよいよ自分の職場にまで及んできたのかと背筋が寒くなるのを覚えた。

というのは、前年の1939年5月、「セントルイス号事件」が起こり、全米でも大きく報じられていたからだ。それは、937名の乗客を乗せてハンブルクを出港したドイツの豪華客船、セントルイス号が目的地のキューバのハバナで入港を拒否されるという出来事だった。

937名のうち930名がナチスに追われたユダヤ人で、彼らはアメリカに逃れるためいったんキューバに上陸し、そこでアメリカ入国の許可を待つことになっていたのだ。しかし、彼らが所持していた上陸許可書はキューバ政府から無効とみなされた。その背景にはナチスのゲッベルス宣伝相の画策があった。彼は、これらのユダヤ人は犯罪者であり、キューバに害をもたらすであろうと事実無根の宣伝を行なったのだった。

キューバ政府との必死の交渉もむなしく、1週間の停泊の後、セントルイス号はハバナ港を離れざるを得なかった。頼みのアメリカも冷淡だった。乗客の中には有力者もおり、数人がルーズベルト大統領に嘆願の電報を送った。しかし、大統領からの返事はなく、国務省もホワイトハウスも特別の措置は取らないことに決めていた。1924年に制定された移民法によって、1939年のドイツからの難民受け入れ枠は2万7370人と決められており、すでに定数に達していたからだ。セントルイス号に届いた国務省からの返電は「順番を待たれたい」の一言だった。マスコミの対応も表面上はユダヤ人乗客に同情は示すものの、世界恐慌から十分に立ち直れていない経済状況にあって、難民の受け入れ制限を緩和することには消極的だった。

結局、セントルイス号は再び航路をヨーロッパに向けたが、ナチスの魔の手が待ち受けているドイツに戻ることは出来なかった。ユダヤ人の世界組織であるJDC（Joint Distribution Committee の略で、通常「ジョイント」と呼ばれる）が懸命になって交渉した結果、オランダ、ベルギー、フランス、イギリスの4カ国がこれらのユダヤ難民を受け入れることに応じてくれた。しかし、運命は非情だった。イギリスに受け入れられた300名近くは、ほとんど全員が第二次世界大戦を生き延びることが出来たが、大陸の3カ国に分散された約600名は、それらの国々がその後ドイツに占領されたために強制収容所に送られ、その半数がホロコースト（ユダヤ人大虐殺）の犠牲となったのである。

実は、この悲劇の背景にはさらに悲惨な事件があった。ホロコーストの歴史の上で忘れてはならない「水晶の夜（クリスタルナハト）」がそれである。

1938年11月9日の夜から10日の未明にかけ、ドイツ全土のシナゴーグ（ユダヤ教会）が襲われ、破壊されたり焼き打ちされたりした。また、ユダヤ人の住居、学校、病院、墓地も標的となった。さらに、彼らが経営する商店も襲われ、割られたショーウインドーのガラスの破片が道路上に散らばり、あたかも水晶がキラキラと輝いているような光景を呈した。

ことの起こりは、ナチス・ドイツの反ユダヤ政策に憤った一人のユダヤ人青年が、パリのドイツ大使館に押しかけ、そこに勤務する3等書記官に発砲したことにあった。このドイツ人外交官の死亡が伝えられるや、報復の暴動があっという間にドイツ各地に広がった。しかし、警察は暴動を取り締まらなかったばかりか、消防隊も燃え盛るシナゴーグを消火しようとはしなかった。

襲撃された約１７００のシナゴーグのうち３００近くが焼き打ちに遭い、７０００軒以上もの商店が破壊され、略奪された。発表された死者の数は91人となっているが、実際のところは分かっていない。恐怖と絶望から自殺した人間も相当数いたと見られている。16歳から60歳までのユダヤ人男性が３万人以上も逮捕され、強制収容所に送られた。ただし、彼らはドイツをすみやかに出国するとの条件で数週間以内に釈放された。

もともとドイツには約50万人のユダヤ人が住んでいたが、１９３３年にアドルフ・ヒトラーのナチス政権が誕生するとたちまちユダヤ人の排斥運動が強まった。１９３５年、追うようにして「ニュルンベルク法」が制定され、彼らの市民権が剥奪された。身の危険を感じたユダヤ人たちの国外脱出が相次いだ。「水晶の夜」が起きる頃には約25万人がドイツを逃げ出していたが、その年にドイツに併合されたオーストリアを合わせると、なおも30万人以上のユダヤ人が必死になって逃げ場を求めていた。

「セントルイス号事件」はそのような情勢の中で起きたのだったが、それは必然の出来事だったと言えよう。

さて、話を冒頭のジャパン・ツーリスト・ビューローのニューヨーク事務所に戻そう。

この年1940（昭和15）年は、日本では皇紀二六〇〇年にあたり、それを記念して東京オリンピックと日本万国博覧会が開催される予定であったが、日中戦争の激化によりいずれも中止された。しかし、神社参拝はむしろ奨励され、伊勢神宮や橿原《かしはら》神宮参拝の旅行で国内は活況を呈し、ジャパン・ツーリスト・ビューローも東京、大阪、名古屋に斡旋本部を設置するなど多忙を極めた。

そのようなときに持ち込まれたユダヤ難民輸送の依頼は、まさに降って湧いた感があった。いずれにしてもニューヨーク事務所の一存で決められる話ではなく、まずは東京本社に報告を行ない、判断を仰がなければならなかった。

責任者である事務所長は東京への報告を打電するにあたり、本社の幹部たちの困惑ぶりが目に浮かんだ。厳しい世界情勢の下、特に日本がドイツ一辺倒の時期だっただけに東京本社は難しい対応を迫られるであろうことは容易に察しがついた。

その頃、ヨーロッパにおけるドイツ軍の進撃は止まるところを知らず、4月から5月にかけてデンマーク、ノルウェー、オランダ、ベルギー、ルクセンブルク、フランスに侵攻していった。そして、遂に5月28日にベルギーが降伏し、続いて6月14日にパリが陥落した。そのような情勢は連日のように全米でセンセーショナルに報道され、ニューヨーク事務所の職員たちも不安と憂慮の毎日を送っていた。

　ポーランドを脱出し、隣のリトアニアに逃げ込んだ多くのユダヤ人が日本の通過ビザを求め、首都カウナスの日本領事館に押しかけていたのもちょうどその頃であった。ここで、世に知られる「杉原ビザ」が生まれるのだが、このときの主人公が領事代理の杉原千畝《すぎはらちうね》という人物であることを、ニューヨーク事務所は知る由もなかった。

　ましてや、杉原千畝とジャパン・ツーリスト・ビューローがその後、見えない糸で結ばれることになろうとは……。

命のビザ、遥かなる旅路——目次

第1章

知られざるＪＴＢの貢献

外務本省の訓令に従わず、独断で日本通過ビザを発給して6000人のユダヤ人を救ったと言われる杉原千畝の話はあまりにも有名であるが、それらのユダヤ難民がどのようにして日本にたどり着き、その後アメリカなどへ渡っていったかを知る人は少ない。いわんや、彼らの逃避行を助けたのが、現在のJTBの前身であるジャパン・ツーリスト・ビューローであったことはほとんど知られていない。

私（筆者）は偶然のことから、その〝秘話〟に接する機会を得た。その秘話とは、1940年から翌年にかけての出来事で、70年余を経た現在、多くの人に知られることなく現代史に埋もれ去ろうとしている。

それではあまりにも惜しいこの出来事を、それを知った者の使命として、本書を通じて一人でも多くの人々に紹介したいと思う。

難民の海上輸送を担当した元上司

かれこれ20年以上も前のことになるだろうか。その頃、私は国際観光振興会（現在は国際観光振興機構。通称・日本政府観光局＝JNTO）に勤務していた。

ある日のこと、JTB本社から送られてきた『日本交通公社七十年史』を拾い読みしていると、

「ユダヤ人渡米旅行の斡旋」という箇所が目に入った。へぇー、ＪＴＢはそんなことにも関わったのか、と思いながら読み進んでいくうち、なんと、最後の部分に、私にとっては恩人とも言うべき人物の名前を見出し、驚いてしまった。

その人物の名前は「大迫辰雄《おおさこたつお》」。当時、ジャパン・ツーリスト・ビューローの職員で、当該箇所の記述は次のようになっていた。

「当時毎週1回の割で二十数回にわたって日本海を往復、添乗斡旋にあたった大迫辰雄は、各航海とも海が荒れ、船酔いと寒さと下痢に痛めつけられたうえ、異臭に満ちた船内斡旋のつらかったことを想起し、よく耐えられたものであると述懐している」

ちなみに、日本海の往復とは、ウラジオストクと福井県の敦賀《つるが》を結ぶ定期航路で、期間は１９４０年後半から41年春にかけて。船は日本海汽船が所有する「天草丸《あまくさ》」という２３４６トンの老朽船だった。

私と大迫さん（親しみをこめてそう呼ばせていただく）との出会いは、私がＪＮＴＯに入った１９６６（昭和41）年のこと。この年、ＪＮＴＯでは新しい事業を立ち上げ、大迫さんはその責任者としてＪＴＢから出向して来た。そして、新入職員の私は彼の下で働くことになった。

実は、大迫さんは以前にも2度にわたってＪＮＴＯのサンフランシスコ事務所に勤務したことがあり、いわゆる「国際派」の多い職場の中でもまことに颯爽としており、若い職員の憧れの的だった。私事になるが、私が入社2年後に結婚した際、夫妻に媒酌人を務めてもらった。

私とはそのような間柄にあり、身近でごく普通の存在に感じていた大迫さんが、若い頃、ユダヤ人迫害史上きわめて重要な出来事に立ち会っていたことを知り、一度、ゆっくりと会って当時の話を聞きたいと思っていた。しかし、大迫さんはすでにリタイアしており、私も国内転勤とそれに続くソウル駐在などでなかなか果たせないでいた。

1998（平成10）年、ようやくそのチャンスが訪れた。韓国勤務を終え、帰国挨拶のため自宅を訪問した際、私は次のように切り出した。

「以前から一度お伺いしたいと思っていたのですが、大迫さんが担当されたユダヤ人の輸送のお話を聞かせていただきたいのですが……」

すると、予期しない答えが返ってきた。

「ああ、あの話なら大学の同窓会の文集に発表したものがあるから、それを読んでもらえば分かるよ」

その文集は、「遠い思い出集　昭十三青学英文科卒　同期生会」となっており、冒頭、『ユダヤ人輸送の思い出』と題する大迫さんの回想記が収録されていた。その内容の面白さに私は興奮を

大迫さんのアルバムに貼られていた７人の顔写真

抑えることが出来なかった。
「ここに、その話の関連の写真があるから見てみて」

文集の次に差し出されたのが一冊の古びたアルバム。大迫さんが乗船勤務中に世話したという7人の人物の顔写真が貼られてあった。それはまさに衝撃的だった。

60年近くも前の写真が大切に保管されていたこともさることながら、私はこれらの人たちが貴重な品物を大迫さんに託していった事実に接し、小説の世界に迷い込んだような気持ちになった。彼らは、恐らく、ナチス・ドイツに追われてヨーロッパを逃げ出したとき、着の身着のまま、飲まず食わずの状況に置かれていたに違いない。にもかかわらず、よくも大切な写真を手放したものだ。

あの印象的な出会いからはや十数年が過ぎ去った。〝ユダヤ人迫害史上きわめて重要な出来事〟に立ち会った大迫さんも今はない。あの日以来、大迫さんの回想記と7人の写真が私の心の中を大きく占めるようになった。

ところで、杉原千畝の話はつとに知られている。日本国内はもちろんのこと、世界各国で何冊もの本が出され、映画やテレビドラマにもなっている。むしろ海外での評判の方が高く、特にユダヤ人社会では文字どおり〝救世主〟として崇められている。それは、ある意味当然のことであり、杉原千畝の偉大な人道的行為は未来にわたって語り継がれていくべきであろう。

ただ、私が訴えたいのは、杉原の行為を人知れず陰で支えた人々の存在も忘れてはならないということであり、特に、杉原に恩義を感じているユダヤ人社会の人々にもそのことを知ってもらいたいと強く願うのである。

天草丸

さて、ユダヤ難民を運んだ天草丸についてだが、その来歴がまた面白い。

もともとは1902（明治35）年にドイツの造船所で建造された「アムール号」というロシア

数奇な運命をたどった「天草丸」　写真提供：人道の港 敦賀ムゼウム

の客船だった。日露戦争で日本海軍に拿捕《だほ》された後、大阪商船に払い下げられ、「天草丸」と改名。1929（昭和4）年に北日本汽船に売却されたが、その後、日本海汽船に引き継がれ、敦賀～ウラジオストク間に就航。興味深いのは、1932年、ジュネーブの国際連盟会議に出席する全権代表の松岡洋右《ようすけ》（後の外務大臣）が乗船していることである。

ユダヤ人を迫害した最大の国は、なんといってもナチスのドイツだと思うが、実は、ロシアも帝政時代から「ポグロム」の名の下に多くのユダヤ人を迫害してきた。その二大〝反ユダヤ国家〟のドイツとロシアに縁のある天草丸が後年、ユダヤ難民の輸送に従事したというのは歴史の皮肉と言うべきであろうか。

さらに、天草丸は太平洋戦争が始まると鹿児島～那覇間に就航し、時には台湾との間の民間人輸送にも携わった。そして、運命の１９４４（昭和19）年11月22日、台湾の高雄から鹿児島に向かう途中、アメリカの潜水艦の魚雷を受けて42年の生涯を閉じることとなった。

では、そのような因縁を持った天草丸に乗船勤務した大迫さんは——。

ＪＴＢの関係者の話によると、ユダヤ人の輸送業務には４人の職員が交代で従事したそうだが、大迫さんは3番目で、期間が最も長かった由。しかも、１９４０年の後半から翌年の春にかけての、時化《しけ》で日本海が非常に荒れる時期だったそうである。

「……船首が大波をかぶってぐっぐっと沈み、甲板が海水で溢れて大丈夫かなと思うほど気色が悪い。……私もご多分に漏れず第1回の航海では船酔いの洗礼を受け、ほとんど寝たきり、食事なしの苦しい経験をせざるを得なかった」

「（乗船客の）ユダヤ人はパスポートを持たぬ無国籍人が多く、欧州から逃れてきた難民ということで、……中には虚ろな目をした人もおり、さすらいの旅人を彷彿とさせる淋しさが漂っていた。私はこの時くらい日本人に生まれたことを幸せに思ったことはない」

回想記の中のほんの一部だが、そのときの状況が目に浮かんでくるようであり、また、大迫さんの心情がひしひしと伝わってくるくだりである。

厳しい冬の日本海ではあったが、時にはよく晴れた日もあり、「そんな時はデッキに出て思い切

晴れた日の「天草丸」船上（左端が大迫さん）

り日光を浴びたり、歩き回ったりして健康維持に努めた」とのこと。ここに掲げた船上で同僚たちと撮った写真は、そういったときの一こまなのだろう。

ところで、乗船勤務の大迫さんの任務はいったいどんなものだったのだろうか。回想記によれば、おおよそ以下のようであった。

当時、難民輸送の業務をジャパン・ツーリスト・ビューローに依頼してきたのは、在ニューヨークのウォルター・ブラウン社（後にトーマス・クック社と合併）だった。その内容は、ヨーロッパから日本経由でアメリカやその他の国に逃げて来ようとしているユダヤ人に手渡すべく、アメリカのユダヤ難民救済協会（Hebrew Immigrant Aid Society＝HIAS）から預かった保証金を、ビューローのニューヨーク事務所が東京本社に送金する。その際、保証金を渡すべき乗船客の氏名が打電されてくる。それに基づいて本社では名簿と送金額のリストを作成し、乗船勤務者と敦賀駐在員に送る。

そこで、大迫さんは船上でリストに載っている該当者を探し出して確認の作業を行なうわけだが、これが容易なことではない。

「……多くの航海は時化のため、ほとんどの難民は船酔い状態で、悪臭漂う3等船室で一人ひとりをチェックすることは大変な仕事であった」

さらに、大迫さんを困惑させたのは、日頃馴染みのないユダヤ人の名前である。モスコヴィッチとかゴールドベルグとか同じ苗字が多い上、初めて目にする綴り字がほとんどで、どう発音していいか分からない。混雑を極める船内で全員をチェックするのは至難の業であった。なんとか彼らを敦賀に上陸させた後、今度は敦賀駐在員の出番である。彼らの仕事は、送金通知書を所持している難民に送金額相当分の円貨を手渡してやることである。さらに、敦賀港から敦賀駅までのバス輸送の準備や、団体の大きさによっては臨時列車の手配もあった。

このようにして船上と陸上の連係プレイにより、ナチスの魔手から命からがら逃れてきたユダヤ難民を、当面の目的地である横浜と神戸に移動させる任務を終えることが出来たのである。

「私たちビューローマンのこうした斡旋努力とサービスが、ユダヤ民族の数千の難民に通じたかどうかは分からないが、私たちは民間外交の担い手として、誇りを持って一生懸命に任務を全うしたことは確かである」

大迫さんは回想記をこのように結んでいる。

なお、付言すると、ジャパン・ツーリスト・ビューローがトーマス・クック社から受託した業務の全体像は、ウラジオストクに到着した難民を敦賀経由で横浜と神戸に無事に送り届けることであった。今述べた保証金の手渡し業務は重要なものではあったが、全体の一部であったようだ。

ただ、惜しいことに、天草丸が運んだ難民の数については前出の『日本交通公社七十年史』に「一万五千人」と記されているのみで、確たる記録は残されていない。

また、難民が上陸した敦賀は太平洋戦争終結の直前に米軍の空爆により市街地の８割が焼失したため、入国者数の手がかりとなる入管記録などはすべて失われてしまっている。

天草丸が撃沈されたと同様、敦賀市も爆撃被害を受けたことにより、ユダヤ難民の日本逃避行の詳細が闇に消えてしまったことは残念の極みである。

朝鮮系職員の見識

ところで、調べを進めていく過程で、ユダヤ人の輸送業務に従事した担当者に関して、最初に乗船勤務した職員は朝鮮系の人だったらしいという事実に行き当たった。その関連の資料が外務省の外交史料館に保存されているという。

早速、足を運んだ外交史料館で閲覧させてもらった問題の資料は、1940年11月15日付で日本海汽船株式会社営業部長から外務省欧亜局に提出されたものだった。

「弊社敦賀浦塩斯徳就航船はるぴん丸乗組日本旅行協会職員弊社嘱託俞夏濬殿ヨリ茲許同封別紙ノ通リ乗船報告書入手仕リ候間御参考迄ニ御移牒申上候　以上」

時代を感じさせるいかにも古めかしい候文である。「日本旅行協会」は「ジャパン・ツーリスト・ビューロー」の日本語名称で、「浦塩斯徳」はウラジオストクの当て字である。「俞夏濬」というのが問題の職員の名前で、「ユ・ハジュン」と読むのであろう。「はるぴん丸」とあるのは、同船は輸送第1船としてウラジオストクに赴いたが、船体が大きすぎて着岸が困難であったため、その後は天草丸が交代したという経緯があったようだ。

俞職員の乗った「はるぴん丸」は1940年9月1日に敦賀を出帆し、9月9日に帰着しているのだが、このときの乗務報告が素晴らしい。細部にわたっての記述は省略するが、敦賀における入国取締規程に対してずばりと直言しているのである。

その規程とは、乗船客が敦賀上陸の際、日本以遠の乗船券または引換券を所持している場合は一人あたり１００米ドルまたはその相当額を、いったん日本に上陸した後に改めて乗船券を購入しようとする場合は２００米ドルまたは相当額を持っていなければならないとするものである。

だが、入国客の大半は命からがら逃げて来た難民のため所持金は少なく、日本入国後に次の行き先国に住む親戚や友人から送金を受けることになっていたのだ。

「……思うに此の規程の趣旨は内務省の規程を敷衍《ふえん》して具体的の基準を示せる所に意義を認むも、ややもすれば所謂杓子定規に堕する恐れなしとせず。……いずれにしても、これらの旅客に対して此の機に厚遇すれば、我が国情宣伝上まさに千金の価値あるものと信ず」

今から70年以上も前にこれだけの見識を持っていた「兪夏濬」という人物に、私は畏敬の念を覚えずにはいられなかった。しかも、氏名から判断して在日の朝鮮系であることは明らかである。当時は日本の植民地時代のこと、彼らに対する偏見や差別がまかり通っていたことであろう。

よくぞ、当時のジャパン・ツーリスト・ビューローはこの人物を採用し、また、ユダヤ難民の輸送という重要な任務に就かせたものだ。

あの時代、このリベラルな思想はいったいどこから生まれたのだろうか。感動は深まるばかりだった。

高久甚之助という人物

私の元上司が難民の海上輸送の担当者であった事実を知ったときの驚きはほかに例えようもないくらいだったが、その後、もうひとつの驚きが私を待っていた。

それは、ジャパン・ツーリスト・ビューローの育ての親と言われた「高久甚之助《たかくじんのすけ》」という人物の存在である。なんと、この人物、私と同郷（現在の三重県伊賀市）で、郷里の母校の大先輩にあたる。

まずは、その経歴を紹介したい。

１８８６（明治19）年生まれ。１９０８（明治41）年に東京外国語学校（現・東京外国語大学）英語科を首席で卒業、帝国鉄道庁（後の鉄道省）に入る。高級官僚の登竜門である「高等文官試験」に合格した後、１９２１（大正10）年に欧米留学を命ぜられ、アメリカのペンシルバニア大学でＭＢＡ（経営学修士）を取得。帰国後、鉄道省運輸局国際課長を経て１９２８（昭和３）年にジャパン・ツーリスト・ビューローの第３代幹事（後の職制改正で専務理事）に迎えられ、１９４２（昭和17）年までの長きにわたって社業の発展に尽くすとともに我が国の国際観光事業に貢献、等々……。

高久甚之助さん

実に眩いばかりの経歴だが、その持ち主が郷里の先人であることを知ったとき、私は、不思議な因縁を感じずにはいられなかった。それは、あたかも見えない糸でグイグイと引っ張っていかれるような感じであった。

ＪＴＢの関係資料の中に、ビューローのニューヨーク事務所から請訓の電報が来た際、本社では「果たしてこの依頼（ユダヤ難民の輸送）を受けて良いか議論が戦わされたが、人道的見地から引き受けるべしとの結論に達し……」との記述がある。

それはそうであろう。同盟国ドイツの政策に逆らう行為を行なおうとするわけだから、その議論は相当激しいものであったとしても不思議ではない。その上、外部からの圧力も加わったであろうことは想像に難くない。

実は、その2年前の１９３８年3月、「オトポール事件」と呼ばれる事件が発生した。

それは――。

満州との国境にあるソ連領のオトポール駅にナチスに追われたユダヤ難民が大挙して流れ込ん

で来た。寒さと飢えに苦しむ彼らを救ったのが、関東軍指揮下のハルビン特務機関長の樋口季一郎中将だった。お陰で難民たちは無事にハルビンに逃れることができた、という出来事だった。

これには伏線があった。この事件が起きるわずか3カ月前の1937年12月、ハルビンで開催された「第1回極東ユダヤ人大会」がそれである。樋口は、内科医でハルビン・ユダヤ人協会の会長を務めるカウフマン博士から、ヨーロッパのユダヤの同胞がナチス・ドイツの迫害に直面している実情を世界に知らせるための大会を開きたい、ついてはそれを許可してほしいとの要請を受けた。樋口は了承し、大会に招待されてユダヤ人の立場に同情を寄せるとともに、ドイツのやり方を非難する演説を行なった。

しかし、果たせるかな、ドイツのリッベントロップ外相が日本政府に強硬に抗議してきた。そのため、樋口は関東軍司令部から出頭命令を受けた。時の参謀長は後に首相となる東条英機であった。樋口は臆することなく自説を開陳した。

「そのような非人道的なドイツの国策に協力するというのは、まさに人倫にもとるものでありましょう。ドイツとの同盟関係は尊重せねばならないでしょうが、日本はドイツの属国では決してないはずです！」

東条参謀長は返事に窮し、結局この事件は不問に付された。それどころか、逆に樋口は参謀本部第2部長への栄転という思わぬ結末を迎えた。

さて、この出来事を高久さん（敬愛の念をこめてそう呼ばせていただく）は知っていただろうか？

その15年前、国際感覚を身につけて欧米留学から帰国した高久さんは誰よりも世界の情勢に明るかったはずである。また、ペンシルバニア大学留学中にはユダヤ人学生との交遊を持ち、ユダヤ民族の苦難の歴史について学んだことでもあろう。日露戦争が起きたのは高久さん18歳の多感な青年期だった。その日露戦争を日本が遂行できたのは、ヤコブ・シフというユダヤ人銀行家の資金援助があったからだが、高久さんは当然そのことも知っていたであろう。

あれこれと推測を巡らせていくうちに、私の胸の中に確信に近い一つの考えが芽生えてきた。それは、ビューローがユダヤ難民の輸送業務を引き受けた背景には、最高責任者としての高久さんの意思が働いたのではないだろうか、というものである。

私は、その辺りを検証したいと考えＪＴＢの関係部署にあたってみたが、戦時中の混乱の中で多くの資料が失われてしまっているとのことだった。

一方、財団法人日本交通公社所蔵の各種資料の中に、『四十年の歩み』と題して１９１２年から１９５２年までの動きをまとめた小冊子がある。もしや、と胸をドキドキさせながらページを繰

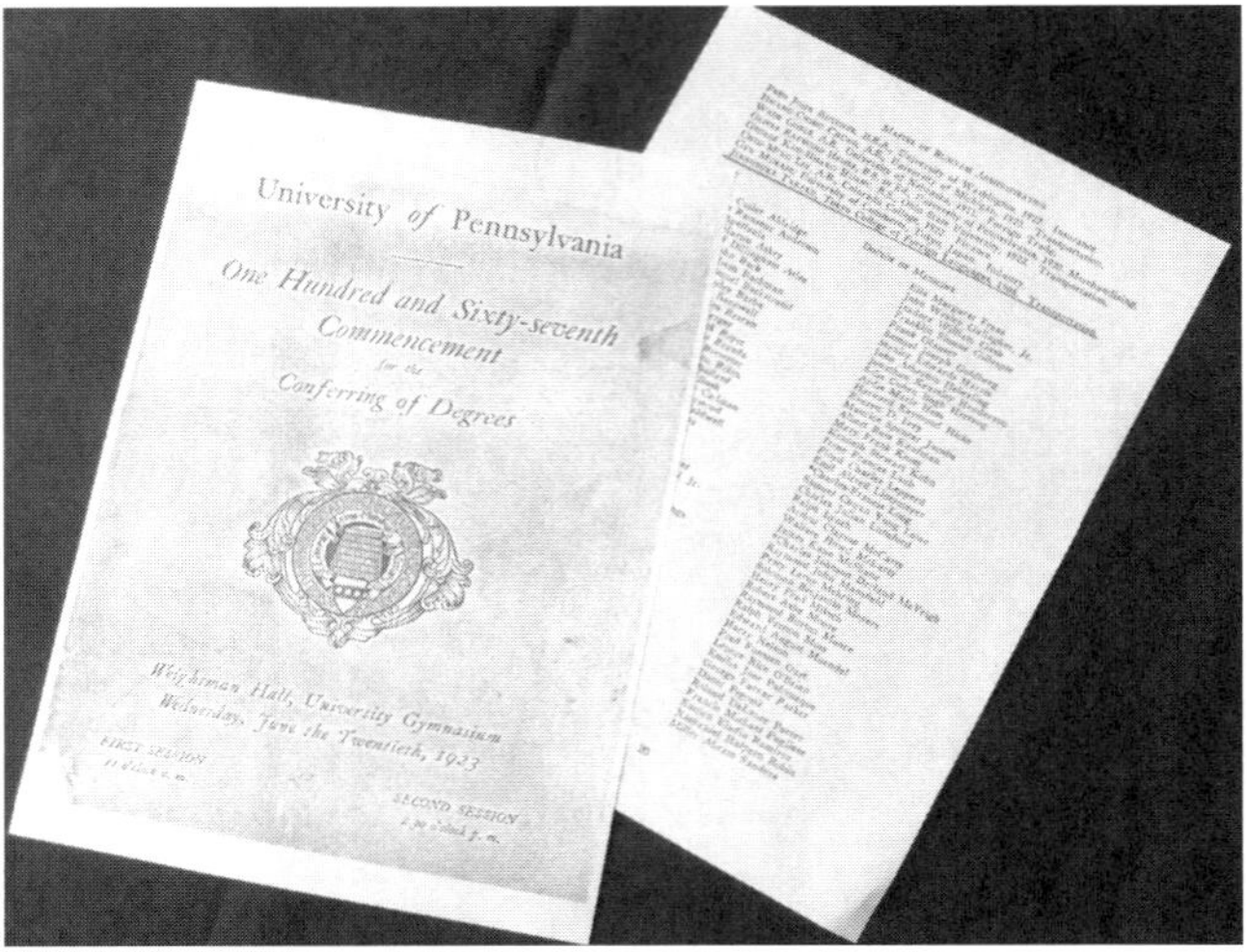

90年前のペンシルバニア大学の卒業式次第

っていったが、わずかに数行「……この欧亜連絡客の最も殺到したのは昭和十五年で満州里通過の独逸人のみで五千名に上った。これ等の大部は欧州大戦によるユダヤ系難民で日本経由米国或いは上海方面に向かうもので……」との記述に留まっていた。

しかし、この資料においては高久さんの時代を「当社の最も躍進した時代であった」と位置付け、その努力と功績を最大級の賛辞で記述している。また、別の資料『この人々』では高久さんの人間味溢れる人柄に関するエピソードが随所に紹介されているが、中でも、ビューローの創立者である木下淑夫氏と強い信頼で結ばれた〝師弟関係〟の描写は感動的でさえあった。

帝国大学卒でないため将来に対して思い悩ん

でいた鉄道省時代の高久さんを、木下氏が「転がる石に苔は生えない」の諺を持ち出して叱咤激励し、それに発奮した高久さんが最難関の高等文官試験に合格したという話。さらに、ペンシルバニア大学留学の先輩でもある木下氏の推薦もあって、欧米留学の夢を果たしたとのくだりには、同郷の後輩として胸が熱くなるのを禁じえなかった。

私は、高久さんのペンシルバニア大学での足跡をたどってみたくなり、アメリカ在住の友人に依頼して、同大学に問い合わせてもらった。数日後、友人から高久さんの大学卒業時の式次第のコピーがメールで送られてきた。日付は１９２３（大正12）年６月20日となっており、間違いなくＭＢＡ取得者８名の中に高久さんの名前が入っている。実に90年も前のことである。当時、欧米の大学でＭＢＡを取得した日本人は年間どれくらいいただろうか。

私は、前項の「朝鮮系職員の見識」の中で「あの時代、このリベラルな思想はいったいどこから生まれたのだろうか」と述べたが、どうしてもこの部分を高久さんの欧米留学に結びつけたくなってしまうのである。同郷人の身贔屓と言われるかもしれないが、ビューロー創業時の精神が高久さんによって大きく育てられ、脈々と受け継がれていったのではないだろうか。

最後の精算

もう一つ、〝ビューロー精神〟を如実に示すエピソードに触れておきたい。

前出の財団法人日本交通公社の資料室に一人のＪＴＢ・ＯＢの手記が残されている。タイトルは『ＪＴＢとの四十九年間』となっており、筆者は戦前の最後のニューヨーク事務所長を務めた岩田一郎氏である。

岩田氏は、当初はロサンゼルス事務所長を務めていたが、１９４０年の秋に横滑りの形でニューヨーク事務所に転任した。

敦賀駐在の同僚と（右が大迫さん）

手記の要点をかいつまんで記述すると以下のとおりである。

ユダヤ難民の輸送を依頼してきたトーマス・クック社から預かった保証金の総額は７６５名分の18万３６００円（一人あたり２４０円）であったが、実際に難民旅客に引き渡せた額は16万１２８０円であった。つまり、93名分が未渡し金となったわけだが、これらの

晩年の大迫さん（2000年8月、杉原千畝生誕100周年記念写真展にて）

人々は途中でなにかのトラブルで乗船できなかったのであろう（ウラジオストクにたどり着く前に、ソ連の官憲に拘束され、シベリア送りとなった難民も多数いた由）。

そこで、岩田所長は93名分の残金2万2320円をトーマス・クック社に返金し、同社のクラドック社長から丁重な礼状を受け取ったのだが、それは、1941（昭和16）年10月末のことだった。つまり、太平洋戦争がもう目の前に迫っていたときである。

この律儀さ、誠実さにはトーマス・クックの社長もさぞ驚いたことであろう。

岩田氏はその最後の精算を終えると急遽サンフランシスコに向かい、11月2日に日本郵船が保有する北米航路の客船「龍田《たつた》丸」に乗り込み、同月14日に横浜港に帰着した。その3週間後に、真珠湾攻撃により、太

1942年当時のビューロー外人旅行部のスタッフ（後列中央のダブルスーツ姿が岩田一郎氏。その右２人目が大迫さん）

平洋戦争の火蓋が切って落とされたのだった。

「小生帰国後、前記、天草丸に乗り組み、浦塩と敦賀の間で、あの難解な綴りの名前の乗船客を見つけ出すまでの〝むずかしさ〟を嫌というほど体験された大迫辰雄、小田乾三両社員から当時のご苦労を聞かされ、心からご苦労様と申し上げた記憶がある」

岩田氏の手記はこのように締めくくられている。

第2章

アルバムに残された写真

7人のユダヤ人

「いつまでも父のことをお心にかけていただき、嬉しく思います。どうぞ、このアルバムはご自由にお使いください。

実は、父の他界後、遺品をひとまとめにしてあったのですが、引っ越しの混乱の中で行方不明になっていたのです。ご依頼があったので、必死になって家捜ししたところようやく見つかりました。ひょっとしたら、もう二度と見ることのなかったアルバムかもしれません。父が見つけるのを手伝ってくれたような気がします」

前章で触れた、私が大迫さんから初めて見せてもらったアルバムのことである。あのときの感動がいつまでも心に残っており、出来ることなら大迫さんが関わったユダヤ難民輸送の話を世に知らせたいとの思いから、長女の國本美恵さんに借用を依頼してあったのだ。

上段に3人、下段に4人、合わせて7人の顔写真が貼り付けられてあるそのページの真ん中には「ユダヤ群像」の文字がある。後年、大迫さんがアルバムを整理した際に書いたものであろう。上段の左端はただ一人の男性で、「自称シャルル・ボワイエの彼」の注釈がある。中央の女性には「絶世の美女だった彼女」とあり、なるほど映画女優を思わせるほどの美貌である。右端の女性には単に「ヘニイ・ヒルレ嬢」とだけ記されている。

下段の4人の女性にはなんの注釈も付されていない。しかし、7枚のどの写真にも裏書きがあることが分かったので、私は心の中で「大迫さん、すみません」と断りながら、一枚一枚そーっと剥がさせてもらった。すると、現れたのは数種類の言語によるメッセージだった。内訳はフランス語が2人、ドイツ語が一人、ほかの4人は私の知らない言語だった。ただ、そのうちの2人は同じ言語に見えるが、残る2人のものは別種類のようだ。

〈いま、この人たちはどこで、どうしているのだろう。なんとかして彼らの後を追ってみたい！〉

繰り返し、繰り返し7人の写真を眺めているうちに、私の胸の内にこんな思いが募ってきた。しかし、まったく雲を掴むような話だった。

その数日後——。

2009（平成21）年11月のことだった。初めて訪問したイスラエル大使館で、私は広報担当のミハル・タル1等書記官と向き合っていた。

「お話はよく分かりました。実は、私は1カ月前に着任したばかりなのです。そんなときにこのような驚くべきお話がもたらされ、なにか不思議な因縁を感じます。

それにしても、70年前のあの困難な状況をくぐりぬけ、よくぞこれらの写真が大切に残されていたものですね。大迫さんという方の誠実さが強く感じられます。私たちの同胞と考えられることらの人たちがお世話になったのだと思うと、とても感動してしまいました。

早速、本国の外務省にも報告します。写真と裏書きを手がかりに、これらの人たちの消息が掴めるよう当館としてもご協力したいと思います」

イスラエルの若き女性外交官の目は心なしか潤んでいた。

それから10日ばかり後、タル書記官から連絡があった。分からなかった4人の言語のうち、2人のものはポーランド語であることが判明した。後の2人については、一人はスカンジナビア語圏のいずれかの国、最後の一人は写真に印刷されている文字が「ソフィア」と読めるところから、ブルガリアではないかということだった。

フランス語の男性

いずれにしても、最も明瞭なのが男性のフランス語で、メッセージ、名前、日付、どれもきれいな文字で綴られている。

「Mon bon souvenir à mon camarade Tatuo Ohsako. I. Segaloff 4, Mars 1941」

メッセージの内容は、「私の親しい友大迫辰雄に私の良き思い出を。I.Segaloff 1941年3月

シャルル・ボワイエ似の男性

4日」といったところか。日付は敦賀港に上陸した日なのだろう。この内容から、2人は2泊3日の短い航海の間にかなり親密になったことが窺える。

――「僕は俳優のシャルル・ボワイエに似ているとよく言われるのだけど、どう思う?」

「確かに似ていますね。私も学生時代に彼が主演した『砂漠の花園』や『歴史は夜作られる』を観ましたよ。日本の若い女性の間でとても人気があるフランスの俳優ですね」――

2人の間ではこのような会話が交わされたかもしれない。フランス語で書かれているということは、この男性はフランスまたはベルギーなどのフランス語圏から逃れてきたのだろうか。写真を見た限りでは頭髪はきれいに撫でつけられ、胸にはハンカチーフが顔をのぞかせており、中流以上の階層の雰囲気がある。しかし、天草丸船上でこの写真を大迫さんに託したときはこんな端正な身なりではなかったに違いない。いずれにしても、そのとき、彼はどんな想いで自分の写真を大迫さんに残していったのだろうか？

私はたまたま大学でフランス語を勉強したことから、フランス語とフランス語圏の世界に対する思い入れが強い。この写真を眺めているうちに、なんとなく自分自身が大迫さんの立場になり、あたかも相手から語りかけられているような錯覚に陥った。

――「僕はベルギーのブラッセルの出身なんだよ。去年の5月、ベルギーはドイツに侵略され、我々ユダヤ人は公職から追われることになった。僕は新聞記者だったのだけど言論の自由も奪われ、職を失ってしまった。両親と弟と妹が一人ずつの5人家族だったが、この先ユダヤ人に対する締め付けが強まってくるのは目に見えているので、家族全員でアメリカに渡ることを決心した。だけど、入国許可が下りたのは僕だけだったので、ひとまず先に僕が親戚を頼ってアメリカに行くことになったのだよ。

アメリカに着いたら一刻も早く家族を呼び寄せられるよう頑張らなくてはならない。

それまで、家族が無事でいてくれればいいのだが……。噂では、ドイツが侵攻したほかの国々では、ユダヤ人の強制連行が始まっているらしい。その点、日本はドイツとは同盟国だから、ナチスの脅威の心配がなくていいね。しかし、今回、日本の政府が我々の通過を許可してくれたことは本当にありがたいと感謝している。

貴君にもいろいろお世話になったね。日本の人たちの親切はけっして忘れないよ。平和な時代が戻ったらきっと日本に来るから、そのときまで僕のことを覚えておいてほしい」——

私の想像の世界でこのシャルル・ボワイエ氏は、すっかりユダヤ系ベルギー人になってしまっていた。

こうして私は、このアルバムを預かった日から毎晩のようにこれらの写真と向き合い、１９４0年当時に思いを馳せた。第二次世界大戦が勃発した頃のヨーロッパにおけるユダヤ人の苦難の歴史には以前から関心を持っていた。多感な中学生時代に読んだ、あの『アンネの日記』が私をそのようにさせたことは間違いない。

アンネ・フランクが隠れ家に移り住んだのは１９４2年7月、彼女の13歳のときだった。私はアルバムの女性たちを眺めるたびに、15歳でナチス・ドイツの強制収容所で命を落とした薄幸の少女を思わずにはいられなかった。まかり間違っていれば、この女性たちも強制収容所送りになっていたかもしれない。

〈あなたたちは本当によくぞ逃げ延びて来られましたね。それにしても、肌身離さず持っていた

「絶世の美女だった」女性

に違いない大切な写真を、よくも大迫さんに託す気になりましたね。

ところで、あなたたちはいったいどこからやって来たのですか？〉

私は、彼らが自分たちの分身とも言える写真を大迫さんに手渡した事実に心が揺さぶられた。と同時に、彼らの逃避行のそもそもの出発点を知りたいと思う気持ちを抑えることが出来なかった。

北欧から来た美女

さて、「絶世の美女だった」と大迫さんが記した女性――。

彼女が残したメッセージがスカンジナビア3国のいずれかの国の言葉であることが分かったので、まずはスウェーデン大使館に当たることにした。応対してくれた女性書記官は親切な人で、これはスウェーデン語ではなく、ノルウェー語かデンマーク語かのどちらかだろうから両方の大使館に照会しようと言ってくれた。

翌日、彼女から来た返事によると、それは確かにノルウェー語で、メッセージは「日本の私の友へ」という意味であるとのことだった。

ノルウェー語とはやや意外だった。というのは、私が読んだ本の知識から推測し、デンマーク語の可能性が強いのではないかと考えていたからだった。ドイツの侵攻を受けた１９４０年当時、デンマークには約８０００人のユダヤ人が住んでいたそうだが、彼らは社会的にも政治・経済的にもこの国によく溶け込んでおり、デンマーク政府も彼らの保護には意を注いでいた。

しかし、ドイツの占領によってユダヤ人に対する圧迫が強まることが十分に予想された状況にあって、国外脱出を決意したユダヤ人が続出したとしても不思議ではない。この女性もそのうちの一人だったのかもしれない、と考えていたのだったが、私の推測は外れていたようだった。デンマークではなくノルウェーとなると、私の浅い知識では、なぜノルウェーなのかは見当がつかなかった。

また、残されたメッセージの「日本の私の友へ」は、逃避行の手助けをしてくれた日本人に対する感謝の気持ちを表そうとしたものなのか、それとも単なる外交辞令だったのか。あるいは、自由の世界への第一歩となるはずの日本に対する期待や希望など諸々の気持ちを込めたものだったのだろうか。極東から遠く離れた北欧の国の女性にとって、おそらく日本は未知の国であったはずだ。どのような想いで彼女は書いたのだろうか、「ＪＡＰＡＮ」の文字が妙に私の心を捉えて離さなかった。

ノルウェーから来たらしい美貌のユダヤ人女性の謎、というか神秘性はますます深まるばかりだった。

ヘニイ・ヒルレ嬢

「ヘニイ・ヒルレ嬢」と注書きのある写真の女性――。

7枚ある写真の中でこの写真だけが唯一、表に文字が印刷されている。

「フォト　Ａｕｄａ　ソフィア」となっているのは、この写真を撮影した写真館の名前であろう。

「フォト」と「ソフィア」はスラブ語特有の文字で表記されている。

ブルガリア大使館に照会したところ、間違いなくブルガリア語で、メッセージの意味は「ネニイ（ヘニイと同じ）からあなたの思い出のために」とのことだった。ちなみに、「Ａｕｄａ」は「アイダ」と発音するとのこと。

ヘニイ・ヒルレ嬢

署名の文字は明らかに「Ｈ」で始まっているが、名前は「ネニイ」または「ネリイ」の可能性があるらしい。スラブ系の言葉では「ｈ」は「ｎ」の音で発音されることは私も知っていた。大迫さんが「ヘニイ」と記したのは、署名の「Ｈ」の文字を見て通常の読み方で表記したのだろう。ただ、「ヒルレ」という苗字はどこから来たのだろうか。大迫さんが本人から口頭で聞いたものかもしれない。あるいは、乗船者名簿かなにかの書類で確認して、覚えていたのかもしれない。いずれにしても、わざわざ姓名だけを記したところを見ると、よほどこの女性が印象に残ったのだろう。

それから、日付として「１９４１年４月５日」の記載があるが、これは大迫さんの乗船勤務の終盤である。さらに、日付の上に「トーキョー」の文字がある。なぜ、東京なのだろうか。おそらく、彼女にとって唯一知っている日本の都市名だったのだろう。

ところで、ブルガリアとユダヤ人の関係についてだが、第二次世界大戦が始まった当時、周辺国はすべて親ドイツで、ブルガリアもそれに加わらざるを得なかった。しかし、時の国王ボリスⅢ世はドイツから要請されたユダヤ人の強制収容所送りを断固拒否した。そのお陰で、ブルガリアに在住していた6万6000人のユダヤ人のうち5万5000人が救われたという。

にもかかわらず、ヘニイ・ヒルレ嬢はどうして逃げ出してきたのだろうか。

結局、ユダヤ人にとって安住の地というものはなかったということなのかもしれない。

ポーランド語の女性

アルバムの下段に続く女性——。

6人の女性の中で最も物静かで落ち着いた表情をしているこの女性は、ポーランド語のメッセージを残している。意味はごく一般的な「私を思い出してください」である。日付は「40」となっているから1940年に違いない。月の表記が「X」のように見え、日ははっきりと「2」となっているから10月の2日であろう。大迫さんの乗船していた期間中だから1940年10月2日

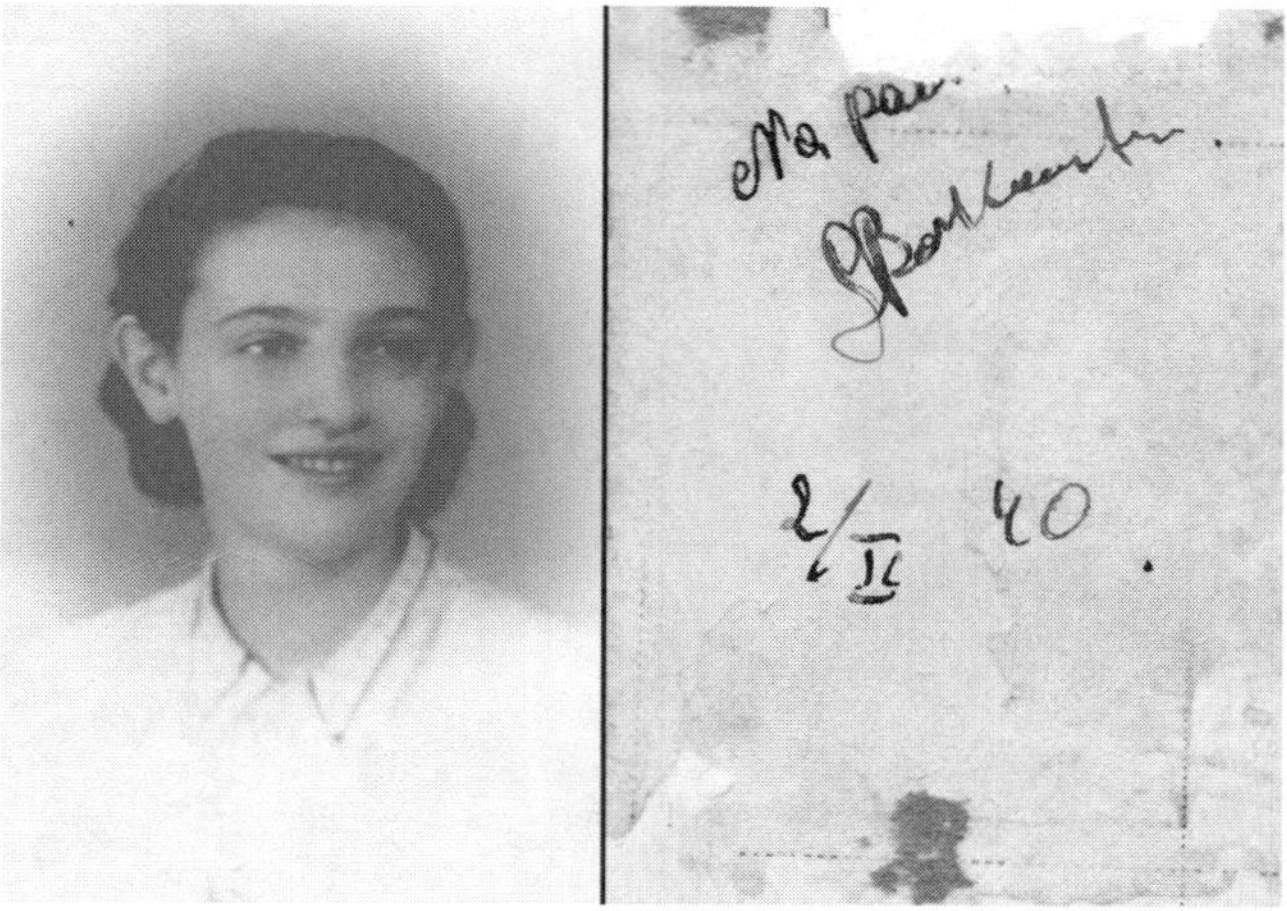

アンネ・フランクの姉マルゴットを思わせる女性

の可能性が強い。署名もなく、どちらかと言うと素っ気ないメッセージだ。

しかし、天草丸で運ばれたユダヤ難民は４０００人くらいだという。その中で写真を残していったのはわずかの７人。それを考えると、写真だけでもいかに貴重な遺品であるかが分かる。

ところで、私はこの写真を見るたびにある一人の女性を思い浮かべてしまう。それは、アンネ・フランクの姉のマルゴットである。アンネはかなり個性の強い少女で、母親とも確執があったようだ。一方、マルゴットは頭もよく、物静かなタイプで両親や妹にも優しい女性だったそうだ。私の勝手な思い込みだが、この写真の女性の雰囲気がマルゴットにぴったりなのだ。

幸い、彼女はマルゴットのように強制収容所で

ユダヤ人の苦悩を秘めた表情の女性

悲惨な死に方をせずにすみ、日本にまで逃げてくることが出来たのは幸運だった。

もう一人のポーランド語の女性――。

彼女のメッセージもまた「私を思い出してください」となっているが、「素敵な日本人へ」と大迫さんに対する親愛の念を表す文言が加わっている。署名のスペルは「Ｒｏｓｌａ」のようにも読めるが判然としない。

私は前章で大迫さんから初めてアルバムを見せてもらったときのことを「衝撃的」と表現し、また、先ほどはこれらの写真に関して「心が揺さぶられる」と述べた。

率直に言うと、その中でもこの写真の女性が最も強く私の胸に迫ってくるのだ。それは、ナ

この幼女は自分の運命を悟っているのだろうか？
写真提供：ヤド・バシェムFA-268／134

チス・ドイツの迫害に追い詰められたユダヤ人たちの苦悩を凝縮したようなこの表情のせいかもしれない。

第二次世界大戦前、ポーランドに住んでいたユダヤ人の人口は三百数十万人で、そのうち約300万人がホロコーストの犠牲になったといわれる。そのポーランドから逃れてきたユダヤ難民の一人が彼女である。そんな過酷な運命を背負って生きてきたとなれば、誰しも厳しく険しい表情になるのは当然のことだろう。

その女性がようやくヒトラーの魔手から逃れ、自由で安全の地にやってきたという安堵感からか、「素敵な日本人へ」と心を開くことが出来たのであろう。

ところで、私はここで別の写真をご紹介したいと思う。これは、大迫さんのアルバムの写真とはまったく関係のないものである。したがって、そこに写っている人物も天草丸に乗って日本に逃れてくることが出来た幸運な人たちではなく、対極の位置にある悲惨な人々の写真である。彼らはハンガリーから貨車に詰め込まれて、今しがたアウシュビッツ強制収容所に移送されてきたユダヤ人の一群である。

特に中央に立っている幼女を見ていただきたい。まだ年端のいかない3～4歳くらいだろうか。そんないたいけな幼子がキッとした厳しい視線をこちらに投げかけている。ここに写っている老女、幼児、その母親と思しき人々の群れは「労働に向かず」と判定され、これからガス室に送り込まれようとしているのだ。この幼女は自分の運命を悟っているのだろうか。その厳しい視線は、自分の不幸を他人に訴えかけるといったそんな生易しいものではなく、この世の不条理を天に向かって糾弾するほどの激しさを持っている。

私はポーランド語の女性の写真を見たとき一瞬、前にも似たような写真があったなと思ったが、すぐさま、それはこの幼女の写真だったことに気がついた。

一方は、死の恐怖から解放された安心感から「素敵な日本人へ」と感謝の気持ちを表す女性、片方は、あたかも「この世に神様なんていないるのっ！」と悲痛な声を搾り出そうとしているかのような幼女。私は明暗を分けた2人の間に横たわった運命の非情さを、どう受け止めてよいか分か

静かな笑みを湛えているようだが……

らなかった。特に、大人でさえ見せることがないような絶望と苦悩の表情を見せるこの幼子を見るたびに、私は胸が張り裂ける思いがするのだ。

心をこめて、マリーより

2人目のフランス語の女性——。

きれいな筆跡で書かれたメッセージは「心をこめて」という意味の通常よく使われる表現で、署名は明瞭な文字で「マリー」となっている。

最初のフランス語の男性にはベルギーを重ね合わせたが、この女性に対してはやはり本場のフランスを結び付けて想像を巡らせてみたくなる。そして、フランスとユダヤ人となると、どうしても「ヴェルディヴ事件」のことに触れずにはいられない。

1942年7月16日の早朝、フランス警察はパリ一円に住む1万3000人のユダヤ人を一斉検挙し、その多くを約1週間、「ヴェルディヴ」と呼ばれる屋内自転車競技場に閉じ込めた。その間、彼らは満足に食事も水も与えられず、最終的にはアウシュビッツに送り込まれ、そのほとんどがそこで命を落とした。生存者はわずか25人に過ぎなかったと言われる。

この事件の特徴は、ナチス・ドイツの支配下に置かれていたフランス警察が自発的に行なったことであって、1995年にシラク大統領がその事実を公にし、それに対して謝罪を行なった。それまで、この出来事を多くのフランス国民は知らなかったという。エッフェル塔の近くにあった競技場も今はなく、その跡地にはひっそりと記念碑が立っている。

「1942年7月16日及び17日、パリとその郊外において1万3152人のユダヤ人が検挙され、アウシュビッツに送られて殺害された。この場所にあった自転車競技場では4115人の子ども、2916人の女性、1129人の男性が、ナチス占領軍の命令に従ったヴィシー政権のフランス警察によって非人道的な状況に置かれていた」

「自由・平等・博愛」を標榜したフランスにとって、「ヴェルディヴ事件」はまさに触れられたくない過去の暗部であろう。

それはさておき、アルバムのマリー嬢はこの事件の1年以上も前に天草丸で日本に逃れてきたわけだから、もし彼女がパリ出身者であったとすれば、一斉検挙の惨劇をまぬがれた幸運な一人と言えよう。だが、その幸運はどのようにしてもたらされたのだろうか？

１９４０年６月14日にパリが陥落したことにより、身の危険を感じていち早くフランスを脱出した用心深い一群の人々がいたことはあり得ることで、彼女もそのグループの一人だったのかもしれない。しかし、その背景には家族と引き裂かれるといった悲劇の代償を伴っていたことは想像に難くない。

彼女の写真を注意深く眺めてみると、かすかに笑みを湛えてはいるが、着ている服はかなりくたびれており、切迫した状況の中で撮影したことが窺える。

ところで、パリのユダヤ人は19世紀以降、かつては貴族の館などが多くあったマレ地区に集中して住み始め、20世紀になるとこの地域はすっかりユダヤ人街の様相を呈していた。しかし、戦後時代も遠くに去った今では洒落たレストランやショップが立ち並び、華やかな雰囲気を醸している。ここを訪れる観光客はよもや、ここが第二次世界大戦中に起きたユダヤ人一斉検挙の舞台だったとは思いもよらないことだろう。

私も何年か前にパリを訪れた際、このマレ地区を散策したが、当時は不明にして「ヴェルディヴ事件」のことは知らなかった。次回、パリに旅行する機会があれば、そのときは必ずマレ地区を再訪し、想像の世界でマリー嬢と対話したいものだと夢想している。

――「マリーさん、あなたはひょっとしたらパリ生まれのパリ育ちではないですか？

あ、やっぱり、そうですか。私の勘が当たりましたね。それじゃ、このマレ地区に住んでいたのではありませんか？

そうですか、この勘も当たりましたね。では、ヴェルディヴ事件のことはもちろんご存知なのでしょうね？

えっ、ご家族は全員アウシュビッツで亡くなられたのですか……」――

日本に寄せる思い

さて、最後の女性――。

ドイツ語のメッセージは「親愛なる大迫さんへ　1941年3月22日　天草丸にて　Toni Altschu」となっており、7人の中でただ一人、「天草丸」の名前を記している。このことはなにを意味するのだろうか？

3月と言えばシベリアはまだ冬であろう。雪の原野を10日間以上もシベリア鉄道で走り続け、ようやくたどり着いたウラジオストク。ヒトラーの魔の手からは逃れることが出来たかもしれな

ただ一人「天草丸」と記した女性

いが、まだまだ安心は出来ない。いつなんどき、ソ連の官憲に連行されるかもしれない。

そのような不安におののきながら、自由の国〝日本〟への第一歩となる「天草丸」に乗り込んだときの喜びは、それこそ天にも昇る気持ちであっただろう。

ここで、私はまた想像をたくましくする……。

天草丸に乗船した彼女は、おそらく2年前の「セントルイス号事件」を思い出したことだろう。ドイツの豪華客船でハンブルクを出港した多数の同胞は不幸にも目的地のキューバから入国を拒否され、ヨーロッパに引き返さざるを得なかった。そして、彼らの多くは各地の強制収容所で命を落とした。

――「でも、私たちは大丈夫だわ。この船は小さくて古そうだけど、日本という国が私たちをきっと守ってくれるわ。乗組員の人たちも信頼できそうだし……。大丈夫、日本は絶対に私たちを追い返したりはしないわ」――

メッセージに書き込まれた「大迫」と「天草丸」の2つの日本語からは、このドイツ系ユダヤ人女性の日本に寄せる信頼の気持ちが感じ取れる。

本章を締めくくるにあたって、私は当初から疑問に思っていたことに対する一つの答えを見出したような気がしている。

それは、これらの7人がどのような想いで自分たちの写真を大迫さんに残していったのだろうか、という疑問に対する答えである。

「大迫さんはいいプレゼントをもらいましたね」

私が周囲の人たちにアルバムを見せた際、ある人がそう漏らした。そのとき、私は「プレゼント」という言葉に大きな違和感を抱いた。プレゼントと言えば楽しく浮き浮きしたものを感じさせるが、この写真はそんなものではない。

これらの人たちはいずれも、自分たちはナチス・ドイツの迫害から必死の思いで逃げてきたのだ、今こうして日本という安全な土地にたどり着けることになったけれども、この先またどんな困難が待ち受けているか分からない、私たちユダヤ民族の苦難をどうか忘れないでほしい、というメッセージを残したかったに違いない。

前述した「水晶の夜」「セントルイス号事件」「ヴェルディヴ事件」においては、絶望のあまり自ら命を絶った人たちもいたようだが、大多数のユダヤ人は死の淵に立たされてもなお生きようとした。

最近観たフランス映画「黄色い星の子供たち」（ヴェルディヴ事件が主題となっている）で私が最も印象に残ったのは、アウシュビッツに連行される段になって、息子と引き離されようとした母親が我が子に向かって「どんなことがあっても生きるのよっ！　生きると約束してっ！」と叫んだ場面だった。

この母親の絶叫は第二次世界大戦中、ヨーロッパ各地で吹き荒れたホロコーストの嵐の中で数限りなく聞こえたことであろう。

写真の7人も状況や背景が違うにせよ、どこかで〝ユダヤの母〟の悲痛な叫び声を耳にしたのではないかと私には思えてならないのだ。

第3章

人道の港 敦賀

欧亜国際連絡列車

かつて東京とモスクワは一本の線で結ばれていたと言うと、エッ！と思う人が多いだろう。そして、その一本の線を繋ぐ重要な役割を果たしていたのが日本海に面した港町の敦賀だと聞くと、さらに驚くことだろう。

今からちょうど100年前の1912（明治45）年6月15日、東京の新橋駅と敦賀の金ヶ崎《かねがさき》駅（後の敦賀港《つるがみなと》駅）の間で「欧亜国際連絡列車」の運転が開始された。新橋駅を出発した列車は米原《まいばら》、敦賀を経由して金ヶ崎駅に到着する。乗客はここで船に乗り換え、2泊3日の航海の後にウラジオストクに上陸し、そこからシベリア鉄道で10日あまりかけてモスクワにたどり着く。

では、ここで欧亜国際連絡列車について簡単に記したい。

1911（明治44）年7月、ロンドンで「第6回シベリア鉄道経由連絡運輸国際会議」が開かれ、シベリア鉄道を経由して世界一周する「周遊券」の発売が決定された。これに伴い、敦賀港は下関港とともに日本の連絡港に指定され、世界交通の桧舞台に登場することになった。

敦賀港の場合、当時、ウラジオストクとの間には、日本の大阪商船とロシアの露国義勇艦隊が週に3往復就航していた。列車は、毎週日・火・木曜日に新橋駅を午後9時に発車する急行列車

金ヶ崎駅に停車中の欧亜国際連絡列車（大正4年：「鉄道旅行案内」鉄道院）
写真所蔵：田中完一

に1・2等寝台車を増結、この車両が金ヶ崎駅まで直通し、敦賀港を月・水・金曜日に出る連絡船に接続した。これにより、東京からロンドンまでは17日で行くことができた。船の場合はインド洋、スエズ運河経由で49日もかかったため、敦賀は一躍ヨーロッパへの玄関口となり、国際港として発展することとなった。

しかし、第二次世界大戦が勃発し、さらに1941年6月に独ソ戦争が始まるに至って欧亜国際連絡列車は中断のやむなきに至った。

ナチス・ドイツに追われ、ヨーロッパから脱出したユダヤ難民はまさしくこの欧亜国際連絡列車のルートを通って日本にやって来たのである。

彼らはポーランドから逃れてきたユダヤ人が大半で、リトアニアの日本領事館で日本の通過ビザが発給してもらえるとの噂を頼りにカウナスに押し寄せてきたのだった。

幸運にも〝杉原ビザ〟を手に入れることが出来たユダヤ人たちは、そこからモスクワに行き、気の遠くなるような長時間のシベリア鉄道に乗り、ヨーロッパ大陸最果てのウラジオストクを経由して日本海を渡り、ようやくの思いで敦賀にたどり着いたのだ。

「敦賀は本当に天国だった」

「船が港に近づくと、雪に覆われた山々が迫ってきた。実に美しい景色だった」

「初めて経験した〝旅館〟の部屋から外を眺めると柔らかい雪が静かに降っていた」

私が2010（平成22）年9月にアメリカを訪問し、取材をさせてもらった〝杉原サバイバー〟たちは、日本への第一歩を踏み出した敦賀の印象をこのように語ってくれた。いずれも安全な土地に逃げ延びることが出来たという安堵感がひしひしと伝わってくるコメントだった。

この取材旅行については次章で詳述したい。

マスコミはどう見ていたか

では、その頃の敦賀の状況はどうだったのだろうか？　まずは、当時の新聞報道からその様子を見てみよう（記事はいずれも「福井新聞社」の提供による）。

戦禍を逃れて欧州からはるばると海外へ渡航するユダヤ系外人の難民部隊は昨年来続々と来朝し、欧亜連絡船天草丸の入港日には之等の難民で敦賀埠頭や敦賀駅頭は文字通りに国際風景を描出してゐる。

難民部隊　続々敦賀に上陸　欧州の戦禍を逃れて

十三日入港した欧亜連絡船天草丸からはき出された難民は三百五十名で、昨年秋から始めて記録破りの大部隊の来朝だった。彼等は欧州を閉出されて安住の地をアメリカやカナダに求めやうとするものでシベリヤ経由浦汐（ウラジオ）から敦賀へ、更に神戸、横浜から目的地へと逃避して行くのである。身のまはり品一切合切詰込んだ大小トランク、家財を携へて異国への旅をつゞけてゐるがその中には無一文で着のみ着のまゝといふ旅行者もあって、ユダヤ人協会の救ひの手にすがってゐるこれ等の難民はまだ三十万人も欧州方面にうようよしてゐると伝へられてゐるが、海外逃避の道は唯一シベリヤ鉄道によって浦汐経由敦賀に上陸する経路があるのみであるから今後は欧亜連絡船天草丸、河南丸で敦賀にたどり着く難民は毎航激増する一方だと見られてゐる。これ等難民に対しては敦賀税関支署、警察署、憲兵分隊が防諜取締に万全を期し警戒を厳にしてゐるが輸送に当る連絡船でも毎航超満員で大多忙を極めてゐる。

1941（昭和16）年2月15日付　福井新聞

新欧閉出しのユダヤ人　続々わが国に流入
敦賀へ毎航海に三百乃至四百

シベリア経由で安住の地南北米の新天地求めて来着するユダヤ系避難民の数は浦汐～敦賀間欧亜連絡船天草丸で毎航海四百乃至三百名の大部隊が敦賀に上陸してゐるが、これらの中にはその目的地さへ判然と決定してゐないものがあり、はなはだしきは目的地がイラン行・蘭印行・米国行などの査証をいくとほりも所持してゐるものがあり、あるひは又日本永住の希望を有してゐるものもあるなど日本上陸が彼等の最終目的の如き観を呈してゐる。彼等の多くはカウナスの日本領事館の査証とポーランド旧政府の避難民証明書とをもってをり中にはロンドンに数万ポンドの銀行預金を有してゐると称する者もあるかと思へばパンすら求める無一文の者もあり、目的地行の便船に乗りきれないものが神戸に多数滞在の有様で今後シベリア経由で渡来する彼等難民の数は推定約三十万人といはれてをり、毎月約千名の者が来着してゐるわけであるが、米国・アルゼンチン国等の物資が危険なる航海のもとゝはいひながら、船舶によっては欧露の港湾に出入りしてゐるものは遥々陸路シベリアによって来るといふ現象を示してゐるのは、その裏面にあるひは国際的関係が多分に含まれてゐることは勿論である。日本の人道的立場よりする彼等難民への便益提供も彼等の数が余りにも多いのと目下難民の渡来数と出港数とは一致しないため神戸に溢れてゐる。彼等の移住先については当局も腐心してゐる始末であるが、最近米国当局の採りつゝある難民拒絶主義により日本に立ち往生してゐる彼等はこのまゝで行けば内地はユダヤ人の氾濫を見る恐れがおこり、厄介な問題を提供してゐる。

1941（昭和16）年3月8日付　福井新聞

ユダヤ人の氾濫で敦賀駅案内が困惑
警戒すべき内地への移動情勢

敦賀駅案内所では欧亜連絡船天草丸入港毎に欧州の戦禍を避けて横浜あるひは神戸経由して安住の地南北米の新天地を求めて赴く亡命ユダヤ人四百名乃至三百名の大部隊が上陸、駅待合室は身動きならぬ混雑を呈し声をからして叫んでゐる。一列励行も彼等には何等の反応もなく、さながら洪水の如き有様なので同駅案内所主任後藤書記は彼等に旅行道徳を大いに植えつけてやらうと案内掛総出動し大奮闘整理にあたっているが、案内所の窓を叩き〝道しるべ〟を乞ふ彼等が殺到し応答にもソウトウの時間を要すので、兎も角英文で敦賀発米原乗換発車横浜着時刻等を窓口に掲げ親切な案内に当たってゐるが、防諜に関連するやうな質問には十二分の注意を払ふ一方彼等の移動に対しては万全の警戒を行ってゐる。

1941（昭和16）年3月8日付　福井新聞

これらの報道ぶりからは意外なことに、困難な状況に置かれているユダヤ難民に対する同情というものは感じられず、むしろ強い警戒心が窺える。

私が「意外なことに」と言ったのは、ナチス・ドイツの迫害によるユダヤ民族の悲劇が広く知られるようになった現在の視点からの反応である。

1936（昭和11）年11月に「日独防共協定」が結ばれ、さらに1940年9月に「日独伊三国同盟」が締結された当時、同盟国のドイツの政策に異を唱えるような論調は望むべくもなかったのであろう。

私の友人が次のように話してくれたことがある。

「僕の母の女学校時代にヒトラー・ユーゲント（ナチス党の青少年団体）が日本にやって来て、各地で大歓迎を受けたそうです。その模様は大きく報道され、母の担任の女性教師もすっかりその虜になり、生徒にこう言ったそうです。

『みなさん、あのドイツの青少年たちの澄んだ目の色を見ましたか？　彼らの心は純粋だから、目まで透き通っているのです』と。

〝澄んだ目の色〟だなんて笑っちゃいますね。ところが、その担任教師は戦後になると、手のひらを返したようにデモクラシー、デモクラシーと叫んでいたとのことです」

プロジェクトチーム

さて、ユダヤ難民の上陸の地となった敦賀に再び舞台を戻したい。

２００６（平成18）年3月22日、「敦賀上陸ユダヤ難民足跡調査プロジェクトチーム」が立ち上がった。代表は、敦賀市の郷土史研究に取り組んでいる「日本海地誌調査研究会」会長の井上脩氏。構成メンバーは、１９４０年当時、敦賀に上陸したユダヤ難民を実際に目撃した同会の会員を中心とした8名である。

1年間に及ぶ調査を経て、２００７年10月にプロジェクトチームは『人道の港　敦賀』と題する小冊子を発行した。私はたまたまこの冊子を読む機会に恵まれ、その内容の素晴らしさに強い感銘を受けた。井上氏の了解を得て、同氏による序文の最初の部分を紹介したい。

刊行にあたって

「命のビザ」については、数多くの研究書が刊行されていますが、どの本にも日本最初の上陸地「敦賀」のことはただ一行「敦賀に上陸し、列車で神戸や横浜に向った」という記述だけです。ただ当時の新聞は相当詳しく報道していますが、上陸して港から敦賀駅に向ったときの経路や、市民と接触したときの様子とか、また事情があって神戸や横浜へ直行できなかった人たちのことについては、一部の特集記事を除いて報道されていません。多くの郷土史も同様です。

このようなことでは敦賀の果してきた国家的使命が後世に伝承されず、市民の誇りとして郷土愛を育成していく上にも大きな空洞が出来るのではなかろうかという観点と、いま調査しなければ生の情報が得られなくなってしまうという危機感から、早急に手を打たなければならないと考えました。(後略)

強い使命感と熱意溢れる文章を通じて、井上氏のイメージが浮かんできた。

〈ぜひお目にかかって話をお聞きしたい!〉

冊子の奥付に記載されていた印刷会社の住所を頼りに、紆余曲折を経てようやく井上氏の自宅の電話番号を得ることが出来た。

「喜んでお会いしたいと思います。いつでもご都合のいいときにお越しください」

受話器を通してイメージどおりの誠実そうな人物の声が聞こえてきた。

敦賀ムゼウム

2009年6月5日、小柄ながら凛とした雰囲気の漂う老紳士の井上氏は私の敦賀初訪問を歓迎してくれた。ホテルから直ちに案内されたのは敦賀港を望む金ヶ崎緑地にある「人道の港 敦賀ムゼウム」だった。「ムゼウム」とはポーランド語で資料館を意味する。

人道の港敦賀ムゼウム。1920年の「ポーランド孤児」と1940年の「ユダヤ難民」の展示コーナーがある　写真提供：敦賀市

ここで、井上氏から館長の古江孝治氏を紹介された。同氏はプロジェクトチームの事務局長として井上氏をサポートし、冊子出版の実現に中心的な役割を果たした人物。8人のメンバーの中で古江氏のみが戦後生まれの若い世代ということで、ユダヤ難民の足跡調査の実施に際しては、一般市

民に対する聞き取り、原稿の執筆と編集など、大きな原動力となった。

古江館長に案内され、この資料館にはユダヤ難民に関する展示のほか、「ポーランド孤児」をテーマとした展示もなされていることを知った。

それは、ロシア革命の混乱のためにシベリアで家族を失ったポーランドの孤児が日本赤十字社の救援活動によって敦賀港に運ばれ、手厚い世話を受け、健康を回復した後、無事に本国へ帰るまでの様子を伝えるものである。ユダヤ難民上陸の実に20年も前にそのような出来事があったことに驚かされ、敦賀が〝人道の港〟と称される理由がよく理解できた。

ところで、ユダヤ難民の展示コーナーでは予期しないことがあった。なんと、大迫さんに〝再会〟したのだ。２００６年に福井テレビが制作したドキュメンタリー「扉開きしのち～敦賀に降り立ったユダヤ人の軌跡～」のビデオが流されており、それを何気なく見ていると聞き覚えのある声とともに大迫さんの写真が現れたではないか。

「強い風を受けて船が進まない。これは、もうなんというか、物凄い嵐だね」

天草丸に乗船していたときを回想している声で、画面では録音テープが回っている。続いて、甲板で難民と思われる乗客の女性とのツーショットの写真が登場した。私にはお馴染みの写真だ。懐かしさがこみ上げてきた。大迫さんがご存命だったら、当然、実際の姿で登場してきただろうにと、なぜか悔しい思いがした。

このコーナーでは、もう一点、心に強く残る展示品があった。それは、古びた婦人用腕時計である。難民の一人が市内の時計店に売りに来たものだという。古江氏によると、敦賀は1945年の終戦直前、米軍機によって3回の空襲を受け、市街地の大半が焼失したため、ユダヤ難民に関係する物証の発見は無理だろうと考えられていた。ところが、その時計店の家族から見つかったとの連絡があり、資料館での展示に結びついたとのこと。

この展示品を目の当たりにしたとき、私の脳裏にはもう一つの腕時計が蘇ってきた。それは、もう50年以上も前に広島原爆記念館で見た、原爆が炸裂した時刻の8時15分を指したままの生々しい腕時計だった。まだ十分に人生を経験していない中学生の私にも、所有者の無念と怨念が鬼気迫るようにして伝わってきたことを覚えている。

今、眼前の腕時計も、ヨーロッパから苦しい逃避行を続けてきたその苦労を切々と訴えかけてくるようだった。

〈「ようやく、安全な日本にたどり着くことが出来たけれど、私たちの苦難の旅はまだまだ続くことでしょう。でも、敦賀の人々の温かさに触れ、元気が出ました。この先、いろいろ苦労が待っていると思いますが、頑張って生きていきたいと思います」〉

この腕時計については、後述する一般市民による目撃証言の中で改めて紹介したい。

ムゼウムを辞そうとした私を建物の外まで見送ってくれた古江氏は南の方向を指差し、言った。

「この一帯の風景も70年前とはすっかり変わったでしょうね。あそこに見えるレンガ倉庫だけが唯一、当時のままの姿で残っています。港に上陸したユダヤ人たちは、おそらく、あれを眺めて日本にたどり着いたことを実感したと思います」

もう何度も見た、ぎゅうぎゅう詰めの貨車から吐き出されるようにしてユダヤ人たちが強制収容所に到着する風景の写真——。

敦賀に逃げてこられた人たちの中には、ヨーロッパに残ることを余儀なくされ、その後、貨車に詰め込まれて死出の旅に向かった家族がいた人たちも、大勢いたことだろう。

私は敦賀港を眺めながら、人間の逃避行を助ける上において海が見せる包容力の大きさというものを感じた。

ホテルへの帰途、私はユダヤ難民が歩いたと言われる港から駅までの約30分の道のりを徒歩で行くことにした。

かつては欧州への玄関口として繁栄した敦賀。当時はロシア領事館があり、港町特有の遊郭もあったとのこと。だが、今や往時の賑わいを感じさせるものはなく、日本の地方都市に共通するひっそりとした町並みだ。途中立ち寄った気比《けひ》神宮も通常の日とあって、訪れる人もまばらだった。しかし、ここを通りかかったユダヤ人は日本情緒に触れ、しばしの安息を得たことだろう。

しかし、と私は再び思った。そのときの彼らにはそんな心の余裕はなかったかもしれない。なにしろ、所持金も乏しく、次の行き先国への入国許可を持たない人たちが大半だったからである。

そのようなことを思いながらの私の敦賀訪問は終わった。

敦賀市民の証言

さて、私は本書を執筆するにあたり、敦賀における状況を記すことは不可欠だと当初から考えていた。特に、プロジェクトチームがまとめた目撃証言の内容を一人でも多くの方々に知らせることが重要だと考えていた。それほど、この目撃証言は貴重な記録である。井上氏の「刊行にあたって」の中で述べられている「いま調査しなければ……」の言葉が私の心を捉えて離さなかった。

聞くところによると、冊子『人道の港　敦賀』はこれまで3版を重ねたとのことだが、合計の発行部数はわずかに2500部を数えるに過ぎない。それではあまりにも惜しい。

考えた末、私は非常におこがましいと思ったが、〝提案と依頼〟の形で井上氏に申し出を行なった。

「私が今取り掛かっている本は全国の書店で発売される予定です。ここに目撃証言の内容を盛り込ませていただければ、これまで以上に多くの人々に読んでもらうことができると思います。ご了承いただけないでしょうか」

これに対して、井上氏は「我々にとってもありがたいことです」と快諾してくれた。

以下、プロジェクトチームの汗の結晶を紹介させていただく。

なお、証言は全部で32点あるが、類似のものを省いて23点を原文のまま取り上げた（ふりがなと87ページの注釈は筆者）。

◇証言1　学校の帰りに敦賀駅で見た

滋賀県の中学校に通学していた中学三年か四年生（十四か十五歳）の頃、敦賀駅で目撃した。たしか、土曜日の午後二時か三時頃だったと思う。沢山の外国人がいたので、何だろうと思った。友達二〜三人で現在の平和堂の交差点から桜並木を気比神宮方向へ歩いて入舟町（現・金ヶ崎町）へ帰る時、反対方向から何十人という外国人が駅の方へ歩いていた。その時の印象は、変わった人たちだなあと思った。家へ帰ったら、親父がおまえが見たのはユダヤ人だと言っていた。その後、新聞を見てユダヤ人だったことがわかった。

その当時、敦賀港へ入ってくる外国人は皆りっぱな服を着ていたので、哀れな感じがした。ユダヤ人は男性は黒い服を着ていて、女性は赤い服を着ていた。小学生くらいの子供もいて、人力車には二〜三人の老人が乗っていた。熊谷ホテルに泊まっているとも聞いた。

ユダヤ人が歩いているときは警察官が見張っていたが、厳しいものではなく反対側を一緒に歩いていた。警察官の人数もチラリチラリで、ユダヤ人もブラブラと歩いていた。

見た時期は、暖かいときから次の年の春までだった。二〜三回くらい見たような記憶がある。

◇証言２　真っ赤な服や動物の襟巻きに驚いた

小学校五年生（十歳）の時、確か九月か十月頃に、旧北津内《きたつない》（現・本町《ほんまち》一丁目）宮の湯の前にあった薬局の前をユダヤ人が歩いているのを見た。

大勢の老若男女が気比神宮から敦賀駅に向って、桜並木の道を数珠つなぎで歩いていた。着ているものは、ボロ着ではなく普通の服だった。

ただ、手に荷物は持っていなかった。中に白髪のおばあさんがいて真っ赤な服を着ていたのが印象的だった。日本人はあんな原色の真っ赤な服は着ないのでびっくりした。

また、もう一人の女性は、まだ暖かいのに、首にキツネかタヌキの襟巻きを巻きつけていて、その足がチラリと見えたので子供心に気持ちが悪かった。家でおじいちゃんに「この人たちはなに？」と聞いたら「ユダヤ人といって国のない人たちだ」と教えてくれた。みんな無言で、もくもくと歩いていた。警官は見えなかった。見たのはこの一回きりだった。おじいちゃんの話を聞いて、その時かわいそうに思った。

◇証言3　ナイフで器用に削って食べていた

昭和十五年の十月頃に敦賀駅でユダヤ難民とおぼしき人たちが沢山いて、その内の一人が駅前広場に座り込んでいたのが印象に残っている。その時は、自分は敦賀商業学校の二年生だった。座り込んでいた人の年齢はわからないが、中学生くらいで黒い服を着ていたように思う。トランクを開けて中から太い棒状のようなものを取り出し、ナイフで器用に手前に向って削って食べていた。今から考えると、ソ連に抑留されウクライナにいたときに食べたことのあるカルパス（乾し肉のようなもので、一〜二ヶ月くらい日持ちする）ではなかったかと思う。

◇証言4　旅館に泊まっていた

まだ、数え年で十五歳の昭和十五年の晩秋か初冬くらいで気候は寒かったが、雪はなかったように思う。敦賀につぎつぎと上陸したユダヤ人が、当時の常磐区天満神社（現・栄新町《さかえしんまち》）付近の旅館に泊まったことを覚えている。

私はその旅館の近くに住んでいて詳しいことはわからないが、旅館の名前は「若六」と言って、天満神社の東隣にあった。その旅館の女中さんが「うちに神戸へすぐに行けないユダヤ人が泊まっている」と言っていたことを記憶している。天満神社の前の通りは大変にぎやかで、大きな旅館や料理屋があった。また、天満神社の裏は遊郭で、この当時はまだ、夜中でも三味線や太鼓、笛の音とともに歌声や笑い声が絶えなかった。

これは噂に聞いたことで、はっきりとは断言できないが堺区にあった元禄理髪店の近所にあった小林旅館（現・栄新町）の近くのちいさな木賃宿にも泊まっていたという。

◇証言5　朝日湯が無料開放した

昭和十六年の早春頃ではなかろうか。直接見たわけではないが、当時大内町（現・元町《もとまち》）にあった銭湯の「朝日湯」が、一般入浴営業を一日だけ休業してユダヤ人難民に浴場を無料で提供したことは事実である。私たちは垢だらけの外国人の入浴した風呂は汚いし、気持ちが悪いと思ってしばらく遠いところにある銭湯まで、わざわざ歩いて行った事があった。

◇証言6　リンゴなどの少年は私の兄です

少年がリンゴなどの果物を、ユダヤ難民に無償で提供したと言う話があるが、この少年は私よりも六歳年上の兄（当時十三～十四歳）だと断定しても、ほぼ間違いないと思う。当時、私の家は青果物を主力とする貿易会社を経営しており、社長の父はかつて青森に本社を置く青果会社の敦賀支店長を勤め、特にリンゴに関しては太い取引ルートがあった。当時でも、しだいに手に入らなくなった果物を比較的大量に取り扱っており、また港周辺でリンゴを売っている八百屋もなかったようだ。

私の記憶では、当時でも店にリンゴ、みかん、乾燥バナナなどが沢山あったように思う。ユダヤ人難民に兄が果物をあげたと言う頃は、私は小学校二年生で港へは連れて行ってもらえなかったので現場は見ていない。それにしても、兄の考えで篭いっぱいのリンゴなどの果物を持ち出せないので、これは敦賀とウラジオストクを行き来していた父親が気の毒なユダヤ人難民のことを知っていて、兄に指示して持って行かせたのだろうと思う。

◇証言7　敦賀駅にあふれていた

国鉄敦賀駅に勤務していた昭和十五年九月頃から、ウラジオストクからの連絡船が敦賀に入港するたびに、敦賀駅はユダヤ人であふれ、案内係りは苦労していた。彼らは神戸、横浜と二つのグループに分かれて、米原で乗り換えて行ったようだ。しかし、彼らの乗車のための専用客車の増結はなかった。一般人、日本人乗客に混じってそれぞれの目的地へ行ったようだ。

◇証言８　敦賀駅にあふれていた

私は敦賀商業学校へ小浜《おばま》線を利用して、敦賀駅まで通学していました。敦賀駅には、大勢のユダヤ人が待合室からはみ出すくらい沢山いました。

乗車手続きのために車掌区などに行く人や待合室に立ったまま外を眺めている人などがいて、何しろ大勢いたことを覚えています。私もユダヤ難民のリーダーのような人を車掌区まで案内してやったことを覚えています。とにかく、大勢のユダヤ人がいたことだけは、はっきりと覚えています。

◇証言９　天満神社前を歩いていた

私の実家が常磐町（現・栄新町）にあり、祖父の家が天満にあったので、よく遊びに行っていた。十八才の頃、祖父の家へ遊びに行く途中の天満神社の角で昼頃に見た。その時はユダヤ人のことは知らなかったが、十人くらいの人たちがキョロキョロと辺りを見ながら歩いていた。子供もいたような気がする。厚手の帽子をかぶっていたので冬の時期かもしれない。

手には荷物を持っていた。アメリカ人のような良い格好はしていなかった。ほとんど男の人で中には女性も子供もいた。格好は普通だった。私が見たのはその一回きりだった。

◇証言10　港へ見に行った

昭和十五年、私が十歳の時、母が新聞を見ていて、今日は何百人というユダヤ人が敦賀港に入港すると言って興味を持っていた。

昭和十六年正月過ぎ母親がユダヤ人に会いに行くと言って、当時住んでいた三島町から港まで私を連れて歩いた。その日は吹雪の日だった。港にはレンガ倉庫の前の角に立ち入り禁止のゲートがあり、母親が警備の人にユダヤ人に会いたいと言うと、警備の人がびっくりしていた。吹雪の日に子供づれできたのでびっくりしたのかもしれない。警備の人がゲートを開けてくれ、船の下まで一緒に行った。小さな貨物船でユダヤ人が甲板一杯にいた。見ていて海に落ちるのではと私は思った。上陸はまだしていなかった。うれしそうに話をしていた。男・女・子供の声が聞こえた。本当にうれしそうだった。にぎやかだった。甲板の人が気づいて自分たちに手を振ってくれた。子供心に不思議だった。そのときにはわからなかった。今考えると生涯で出会った最高の笑顔だった。その後は歩いて家まで帰った。お母さんとは以後、時々このことを話した。港には私たち二人以外はいなかった。

◇証言11　リンゴを食べながら歩いていた

終戦後、北小学校の卒業生の友達が話すには、昭和十五〜十六年ころにユダヤ人が港から敦賀駅まで歩いて行くときに、リンゴを一口かじっては後ろへ回して全員で食べていたという。私はそのとき、子供の頃は道で、まして歩きながら物を食べることは大変行儀の悪いことと教わったので、この話はよく覚えている。船に乗っていたユダヤ人の服装は、黒っぽい服装で帽子をかぶり、冬だったので外套を着ていた。

◇証言12　病院の窓から見ていた

昭和十五年か十六年の冬に、御手洗の紙屋町（現・元町）にあった島病院の行啓道路に面した窓越しに見ました。当時、学校から帰って父の薬を島病院へもらいに行ったとき、窓越しに大勢の外国人が港の方から行啓道路を気比神宮の方へ歩いていったのを見ました。その姿は、いかにも「みすぼらしい」もので、多くの人が「ケット」のようなものを羽織っていた。いかにも哀れな格好で、なかには「はだし」の人もいたように思うが定かではない。

帰宅して病床の父に話したら「港町だから、どんな外国人がくるかもしれない。気をつけるように」と言われた。翌日、学校（敦賀尋常高等小学校。現・敦賀西小学校）の朝礼で、校長先生が「昨日の欧亜連絡船で上陸し神戸や横浜へ行った外国人は、自分たちの国のないユダヤ人で、いまは哀れな格好をしていても金持ちが沢山いる。外国人の中には、いろいろな事情があってやむを得ず旅をしている人もいる」というような話をされたことをかすかに覚えている。

◇証言13　裸足の子供がリンゴを食べていた

昭和十五年秋か十六年春先頃に今の神楽通りにあった早翠幼稚園の室内から窓越しに目撃しました。当時、私は早翠幼稚園の保母として勤務して一年目でした。窓の外を二十人くらいの外国人が集団で通るのに気づき、職業柄第一に子供に目が行きました。全員がみすぼらしい服装でしたが、特に子供はほとんど裸足でリンゴを食べながら、気比神宮の方へ歩いていたのを覚えています。

◇証言14　時計などを売りにきた

昭和十五～十六年頃、私は県立敦賀高等女学校（十五～十六歳）に通っていた。南津内（現・白銀町《しろがねちょう》）の実家は駅前で時計・貴金属を扱う商売をしていました。港に船が着くたびに、着の身着のままのユダヤ人が店に来て両手で空の財布を広げ、食べ物を食べるしぐさをして、身につけている時計や指輪を「ハウ・マッチ」と言って買って欲しいとよく来ました。父は大学を出ていて、英語が少し話せたのですが、訛りが強いのか筆談で話をしていました。そして沢山の時計や指輪を買っていました。ユダヤ人はそのお金を持って駅前のうどん屋で食事をしていました。

また、父はユダヤ人に店にある食べ物を気の毒やと言ってよくあげていました。私も持っていたふかし芋をあげたこともあります。駅前には沢山の荷物を持ったユダヤ人もいて、同じユダヤ人でも貧富の差があることを感じました。さらに赤ちゃんをベビーカーのような物に乗せていたのを見ました。駅前には港にあった両替店も出張していました。初めのうちは市内を歩かせていたようですが、戦争が近くなると駅まで列車に（外が見えないようによろい戸を閉めて）乗せていたようです。（後略）

◇証言15　人力車に乗っていた

年月は覚えていないが小学校六年生の時、実家のタバコ屋の前に人力車が止まり、車夫がタバコを買いに来た。その時の乗客はすごい大男で、車夫は「大男で、こちらがふらふらになってしまう」と言う。母が車夫に「そんなこと言うと叱られますよ」と言うと「ナニ、言葉がわからないから大丈夫」と涼しい顔で汗を拭いていた。よく見ると確かに日本人ではなかった。聞けば、ユダヤ人とのこと。（後略）

◇証言16　家に宿泊を求めてきた

私が十五～十六歳（昭和十五～十六年）ころだと思います。父の話では、まだ夜明け前の午前四時過ぎに、家の玄関をドンドンと叩く音に目を覚まし、何事かと恐る恐る戸を開けると大きな外人の男三人が立っていた。どこの国の人か知りませんが、両手をほほに当てて寝させて欲しいと言う仕草をしていた。用件は分かりましたが、家は狭くて泊められないので、当時大きな門のあった永賞寺を指さし、そこで泊めてもらうようにお願いすることを教えました。

また、母が大きなおにぎりを作ってあげたそうです。その後、どうなったのかについては聞いていませんし、その人たちがユダヤ人であったかどうかも私にははっきりわかりません。父がその外人とどんな話をしたかは聞いていません。

　その頃の私の家は、真禅寺の広場を隔てて児屋の川があり、北へまっすぐ行けば漁師町を通ってすぐ港でした。また、天満神社前の繁華街通りや遊郭も近く、連絡船から鉄道桟橋に上陸した外人さんにとっては、いろいろ訪ね歩くには都合がよかったのでしょう。

◇証言17　職員に案内されていた人たち

　私は昭和十五年か十六年頃、国鉄敦賀機関区の機関助士で、敦賀から米原まで第一〇四列車（欧亜国際連絡列車）の機関車に乗務していました。この列車には「東京行」というサボ（行先表示板）があり、前からイロネ（1・2等寝台車）・ロハネ（2・3等寝台車）などの客車が連結されていました。始発は敦賀港駅で、敦賀で十分余り停車し機関車を付け替え、停車駅も少なく急行なみの速度で走った特殊な列車でした。

　私は乗務前の点検をしながらホームを見ましたら、大勢の外人一色で、なんとも異様な見慣れない服装とひげ面の多いのに驚きました。敦賀駅案内主任の後藤さんに連れられた二、三人の外人が機関車の近くに来て、何やら盛んに話し掛けてきましたが、私には何を言っているのか全く分かりませんでした。

後藤主任の通訳によれば、「ドイツに追われてヨーロッパから命がけで逃げてきた者です。よろしく」と言っていたようです。敦賀でも米原でも、この人たちを歓迎する人たちが見えず異様に感じました。日常、米原駅で行き違う東海道線上下特急列車の一・二等車や展望車の外人乗客とは余りにも異なっているのに一瞬驚いたことを覚えています。

◇証言18　蝋燭立てに隠された財宝

私が当時、南小学校四年（昭和十六年）か五年生の頃の話である。定期的に開催される骨董市に、古新聞に巻かれた西洋の古びた蝋燭立てが出されていた。誰も買い手のつかないこの古びた蝋燭立てを、物好きにも父が購入して帰ってきた。まだ健在で実権を握っていた祖父が父を叱り、その汚い蝋燭立てを蔵の長持ちに入れた。この「ガラクタ」は蔵の片隅に放置されたままであった。

祖父も世を去った数年後、敦賀中学に入学した年のある日、可愛がってくれた祖父を懐かしく思い出しながら蔵の中の物を見ていたら、あの形の変わった西洋の蝋燭立てを見つけた。丁寧に包み込んだ外国の新聞も珍しく、上から下から眺めて中庭でもてあそんでいたら、何かの拍子で下に落として壊してしまった。拾おうとしてびっくりした。なんと破損した蝋燭立ての中にはまばゆい金色のクサリ……。

その後、我が家はテンヤワンヤの大騒ぎになった。大小様々な蝋燭立てを次から次へと金槌で割ると、次から次に宝石、指輪、ネックレス、懐中時計、貴金属の数々が出てきた。まさに財宝の山。今の価値にして果たしてどれ程なのか想像することは出来ない。

陶器で作られた様々な形をした大小の蝋燭立て、その空洞部分に貴金属・宝石を詰込み、入り口に蝋を流し密封（政情不安な欧州でのかくし場所としていたのか、はたまた移動のためなのか？）古新聞で一つずつ包み、家財道具として欧州、シベリアと検査の目を潜り抜けてきたものの、敦賀港で何かの理由で没収されたのか、また移動困難でその大部分を置き去りにしたものか、骨董の市に出された経緯は今となっては全くわからない。

程なく風雲急を告げる戦局、Ｂ29の襲来、そして被災。家宝としていた幾棹《さお》かの古代屏風、加賀藩ゆかりの仏壇、十数振りの古刀、蝋燭立ての宝石、そして家財などの全てを、焼けないと過信していた蔵とともに失った。

◇証言19　気の毒だった人たち

昭和十五年、鯖江《さばえ》の女子師範学校（全寮制）の夏休みに、現在の曙《あけぼの》町《ちょう》の実家に帰宅していた。

ちょうど八月だったと思うが、たくさんのユダヤ人が港に上陸しているというので、わざわざ友達と見に行った。見た場所は、現在の市民文化センター前の道路である。彼らは大きな体格で、そして大勢でトランクを提げて桜通りを駅まで歩いて行った。中には、女性の姿もあり小さい子供を抱いていていた。ただ、子供の手を引いている人がいないのを不思議だなあと思っていた。また、年寄りも少なかった。

彼らは無言でぞろぞろと道一杯に広がって歩いていた。服装は着られるだけ着ている様子だった。女性は派手な服装だったと思う。とにかくガバッと着ていた。その時、気の毒だなあと思い、またいつまでも見ていると悪い気持ちがしてその場を離れた。

◇証言20　神戸へ荷物を送った

昭和十五年十月頃、当時敦賀駅に勤務していた時、小荷物室に大和田回漕部の社員が外国人を四〜五人連れ、それに大型トランクを積んだ荷車を従えて手荷物の受付にやってきた。トランクを神戸へ送って欲しいという事だったが、よく見ると手荷物としては大きさも重さも制限を超えているようだった。そこで、大和田回漕部の社員と外国人を事務室に案内し、上司（清水小荷物主任）を交えて事情を聞いたところ、ヨーロッパから逃避してきたユダヤ人であることがわかった。

主任を始め職員一同が大変同情し、何とか受け付けられないかと相談した結果、運輸事務所から特認してもらったのだろうと思うが、どうにか送ることができ、大変感謝された事を思い出した。ユダヤ人たちは、黒いオーバーを着ていて立派な服装だった。荷物も一人で二〜三個もあって、上陸したユダヤ人の中でも相当な地位にある裕福な人のように感じた。

いずれにしても、異国の地で困っている人に親切にしてあげられて、良かったなと思った。それから後にも、たくさんのユダヤ人が敦賀駅から乗車していったが、なぜか次第に哀れな服装の人が多くなってきた事を覚えている。

◇証言21　靴を針金で繕っていた

昭和十五年の秋、私が敦賀商業学校の二年生の時、夕方の四時頃だったと思うが、北津内（現・本町一丁目）の方からの帰り道に神楽通りを西から気比神宮の方に二十〜三十人の外国人が歩いてくるのに出会った。とっさにこれが噂に聞いていたヨーロッパからの避難民だと思った。大半は大人の男だった。長い旅を続けているためか背広などの服も汚れがひどく、ズボンのすそなども破れ、靴も針金で繕い履いていたのを覚えている。店などを覗いて歩いていた。実家が酒類の小売店をしていたので急いで帰り、母が心配顔でなんだか胡散臭いから店へ入ってこられると嫌なので表を閉めようとしていた。ガラス戸を閉めてガラス越しに見ていた。

後で聞いた話だが、入ってこられた店では、私服の刑事が来て、何を買ったかとか何の話をしたのかと聞いていていたそうだ。

◇証言22　駅に通訳がいた

当時、市役所からの要請で神楽町の西野（傘屋）さん他二〜三人の人が通訳として敦賀駅へ行ったようだ。駅でユダヤ人難民に西（神戸）方面へ行くのか、東（横浜）方面へ行くのか、何時の列車に乗るのかなどの通訳のため三日ほど詰めていたと聞いた。

◇証言23　朝日湯は大騒動だった

戦後まもなく、当時七十歳くらいの親戚のおばあさんに「十年ほど前に港に沢山のユダヤ人が上陸したものの、垢だらけで臭いので朝日湯さんが一日休んで、タダで風呂に入れたが、後の掃除に大騒動したという話を誰かがしていた」と聞かされたことがある。ちなみに、戦災前はおばあさんの家と朝日湯の距離は百五十メートルくらいだった。

敦賀の人々は温かかった

前出の新聞報道の内容が予備知識として私の頭の中にあったので、証言集を読んだ後、私はなぜかホッとした気持ちになった。

リンゴにまつわる証言がいくつかあったが、リンゴ少年の存在が明らかになったことで、それらの信憑性も増した。たとえ父親の指示によるものであったとしても、少年の行為は日本人の親切さの象徴として誇らしく感じる。

宿泊を求められたものの、家の狭さを理由に断った家庭があったようだが、家の狭さが真の理由だったのだろうか？　本当は煩わしさを避けたかったのかもしれない。その後ろめたさがおにぎりの提供に繋がったのではないのだろうか。いずれにしても、このエピソードは普通の市民の正直な気持ちを表しているようで、微笑ましく思う。

神戸に送る荷物が制限を超えていたが、最終的には受け付けられたとのこと。最後の段階で杓子定規に捉われずに〝英断〟を下した敦賀駅の職員に拍手を送りたい。また、それを特認した運輸事務所にも。

中には、店に入ってこられるのを防ぐためにドアを閉めた商店もあったようだが、戦雲が垂れ込んでいた当時の状況からして、それはそれでやむを得なかったのだろう。外国人が入ってきた後は、必ず特高の刑事がやって来て、「今なにを買っていったのか？　今なにを話していたのか？」と探るご時世だったのだ。

ここで、井上氏にユダヤ難民足跡調査の結果について語っていただこう。

「日本が近代国家として出発した後、敦賀港とウラジオストクの間に定期航路が開かれ、これによって欧亜国際連絡列車が走るようになり、敦賀は急速に異国情緒が漂う町になりました。

そういったことが外国人を奇異な目で眺めたり、差別したりすることをなくしていました。加えて、昭和初年頃から、〝一視同仁《いっしどうじん》〟や〝八紘一宇《はっこういちう》〟の精神が強調された教育が徹底して行なわれたこともあって、敦賀は難民の受け入れに適応した〝人道の港〟としての環境が整っていたのだと思います。

当時、小学校では生徒に対してユダヤ難民に関し、あの人たちは自分の国がないため世界各国に分散して住み、金持ちや学者や優秀な技術者が多い。今は戦争で住むところを追われて放浪して落ちぶれた格好をしているが、それだけを見て彼らを見くびってはならないと教えていました。

こうしたこともあって、上陸した難民たちは市民から差別の眼差しで見られることもなく、また厳重な警戒や規制を受けることもなく自由に市内を行動していました」

当時の敦賀港の風景　写真提供：人道の港 敦賀ムゼウム

軍事色が強まりつつあった当時、一般市民たちは人間としての優しさ、温かさをけっして失ってはいなかった。おこがましい言い方だが、そのことを敦賀の人々は誇りに思い、後世に伝えるべく、もっともっと大きな声で発信すべきではないかと思うのは、私一人ではないと思う。

第4章

スギハラ・チルドレンを訪ねて

〈やはり、これは行くしかない！〉

2010年8月29日、2カ月ほどの準備期間の後、私はいまだ猛暑の続く成田空港を飛び立った。訪問先はヒューストン、ボストン、ニューヨーク、ワシントン、シカゴ。

目的は――。

あの「大迫アルバム」に残された写真の7人の手がかりを掴むため、あらかじめ狙いを定めた人物たちに会うことであった。その人物たちとは、いずれも杉原ビザを手にして敦賀に上陸し、日本からアメリカに渡っていった、いわゆる〝杉原サバイバー〟とその家族の9名である。

彼らに関する情報は敦賀市と岐阜県八百津《やおつ》町（杉原千畝の生誕地）から入手していた。調べてみると、そのほとんどはウラジオストクから天草丸に乗船している。ということは、大迫さんを覚えている可能性があり、さらに、写真の7人にも船内で会っているかもしれない。

しかし、なんといっても70年前のことである。今回会おうとしている人たちの大半は日本にやって来たときは子どもだったし、仮に彼らが写真の7人とどこかで接触していたとしても、この7人が生存している可能性はきわめて低い。

〈徒労に終わるかもしれない。それは分かっている。しかし、行動を起こせばなにか掴めるかもしれない〉

不安と期待が入り交じった旅立ちだった。

それは「新田丸」だった

●イーディス・ヘイマーさん、ヒューストン在住、73歳。

ヒューストンは実に25年ぶりだった。１９８５（昭和60）年にアメリカ勤務を終えて帰国した後、アメリカには2度ばかり行ったが、かつてはよく訪れたヒューストンまでは足が延ばせなかった。猛暑の日本から飛び出して来たが、湿度の高いここの暑さは相変わらずだった。空港のビルから外に出た瞬間、眼鏡が曇った。

翌朝、ホテルに迎えに来てくれたヘイマーさんは意外と小柄で、銀髪のきれいな方だった。彼女はヒューストン・ホロコースト博物館でボランティア・ガイドをしている関係で、まずは博物館を案内され、その後で話を聞かせてもらうことになった。長い間、小学校の教師をしていただけあって、ゆっくりと私にも分かりやすい英語で話してくれた。

「私の父はユダヤ系ドイツ人で母はリトアニア人でした。私が生まれたとき、両親はバルト海に面したリトアニアの港湾都市に住んでいましたが、１９３９年8月に独ソ不可侵条約が結ばれ、ソ連がリトアニアを併合したため、内陸部のカウナスに逃げました。そうこうしているうちにナ

ヒューストン・ホロコースト博物館にてヘイマーさんと（左が筆者）

チス・ドイツのユダヤ人迫害が日に日に強まり、遂に国外脱出を決心しました。

このとき、私たちは運よくスギハラ・ビザを手に入れることが出来たのです。また幸いなことに、父の兄である伯父がアメリカに移住しており、１３６ドルを送ってきてくれました。このお金でシベリア鉄道の切符を買うことが出来ました。

14日間の列車の旅はソ連の官憲に対する恐怖の連続でした。途中で父は病気になったため、彼らは私たちを列車から降ろし、シベリアのどこかに送ろうとしました。そのとき、一人の人物が自分は医者だと名乗り出て、この人の身体は大丈夫だと言って父を守ってくれました。

敦賀に上陸した後、神戸に移動し、そこで約2週間過ごしました。その間、神戸ユダヤ協会や地元の人々にお世話になりました。ようやくアメリカ行きの船の切符を手に入れることが出来、ハワイを経由して１９４１年1月にサンフランシスコに到着しました。でも、アメリカの入管当局は冷淡でした。私たちをリトアニアに送り返そうとしたのです。私たちのような難民がアメリカの重荷になることを危惧したのです。その上、反ユダヤ感情もあったようです。

このとき、また伯父が助けてくれました。ユダヤ難民救済協会（Hebrew Immigrant Aid Society＝ＨＩＡＳ）に掛け合ってくれ、協会が当局に対して、私たちはけっしてアメリカの重荷にならないと保証してくれたのです。

私がアメリカに到着したのは3歳のときでしたから、当時の記憶はまったくありません。ナチスによる死の恐怖からかろうじて逃げ出したこと、逃避行の苦労などなど、今お話ししたことなどを含め、すべて後になって両親から聞かされたものです。でも、それから数年して私が少し大きくなったとき、父がＨＩＡＳから借りていたお金を全額返済し終えました。そのときの父の誇らしげな顔は今でもはっきりと覚えています。

父はそれから間もなくして病気で亡くなりました。それまでの苦労がたたったのでしょう。そして母は再婚しました。でも、母の再婚はあまり幸せなものではありませんでした。それでも母は必死になって働き、私と弟の２人に高等教育を受けさせてくれました。幸せでなかった両親の人生を思うとき、私の胸は痛みます。でも、今、私たち2人が立派に生きていることを喜んでくれていると思います。

そうなのです。今、私がこうして元気に私の人生を歩んでいられるのもひとえにスギハラさんのお陰なのです。

実は、恥ずかしい話なのですが、私たちがスギハラさんに助けられたということを知ったのはずいぶん後になってからのことでした。それを知ったとき、私はいても立ってもいられなくなり、なんとか感謝の気持ちを伝えたいと思いました。でも、時すでに遅しで、スギハラさんはもうお亡くなりになっていました。それでも、なんとかしなければならないと考え、スギハラさんの奥様にお手紙を書くことにしました。ただ、困ったことに住所が分かりませんでした。カマクラにお住まいだということは聞いていたので、きっとよく知られた方だから、都市名だけでも届くだろうと思い、『Mrs. Yukiko Sugihara & Sons / Kamakura City, Japan』とだけ記して投函しました。それは、今からもう10年以上も前のことでした。無事に奥様の手に届いたでしょうかね。聞けば、その奥様も最近お亡くなりになったとか……。

手紙ですか？　実はそのコピーをここに持ってきているのですが、もしよければ読んでみてください」

杉原サバイバーとの最初の面談で、いきなりこのような話が待ち受けているとは思いもよらないことだった。ヘイマーさんが差し出した手紙のコピーを一読し、私は不覚にも初対面の人の前で涙を隠すことが出来なかった。

「親愛なるスギハラ夫人、ご家族様。

命の贈り物をくださった方に対してどのようにお礼を申し上げればいいのか私には分かりません。しかし、私はそれをしなければならないと思います。

最近のことですが、私はご主人の故スギハラ・チウネ様が1940年の夏、リトアニアのカウナスでユダヤ人を救われたというその偉業について初めて知りました。私自身も命を救われた人々の中の一人です。

当時、私は3歳の子どもで、母のパスポートとビザに私の名前を記載してもらい、ヨーロッパから逃げ出すことが出来ました。両親のビザは1940年7月24日に発給され、スギハラ・リストでは7番目と8番目になっています。

世界の歴史の中でも稀な困難な時代に見せたご主人の深い同情心、感受性、比類なき勇気を支えられた貴女様とご家族に感謝申し上げます。いま、この感謝の念を直接ご主人にお伝えすることが出来ないのは残念の極みです。両親と私がご主人に巡り会えたのは幸運以外の何ものでもありませんでした。

どうか、今は亡き両親と私自身の感謝の念をお受け取りください。私は、今日まで生き延びて来られたこと、良い教育を受けられたこと、40年の間、良き伴侶と共に人生を歩んで来られたこと、25年間多くの小学生を教えて来られたこと、現在は2人して医師になった素晴らしい双子の息子を育て、教育できたこと、掌中の珠《たま》である孫娘を持てたこと、友人たちや年々増える家族との交流を楽しんで来られたこと、人生が与えてくれる多くの楽しみを経験できたこと、それらのことをありがたく思っています。

残念なことにこの手紙を日本語に訳してもらえる人を見つけることが出来ませんでしたが、私の意のあるところをお汲み取りいただければ幸いです。

私には1945年にアメリカで生まれた弟がおります。その弟を含んだ私の全家族からスギハラ家の皆様に私たちの感謝の気持ちをお送りいたします。

貴女様のご主人であり、お子様方のお父さんであるスギハラ・チウネ様が57年前に示された偉大な行動に改めて感謝しつつ。

1997年1月23日

Edith Finkelstein Hamer」

「新田丸」船上のパーティー。左端の幼女がヘイマーさん
写真提供：イーディス・ヘイマー

私が受けた大きな感動が逆にヘイマーさんに〝伝染〟したようだった。適当な言葉が見つからず沈黙してしまった私に、彼女は心なしか潤んだ眼差しを向け、明らかに感情を抑えたようなくぐもった声で話を続けてくれた。

「あなたが今回のアメリカ訪問の目的を伝えるために初めてメールをくださり、それに対して私は、『敦賀にやって来たのは私が3歳のときだったので、当時のことは何も覚えていません。したがって、あなたが追っている天草丸に乗った人たちのことに関しては、お役に立てないと思います。しかし、私たちが船に乗っている写真があり、そこには私も写っています。ただ、それが敦賀に来たときのものなのか、サンフランシスコに来たときのものなのかは分かりません。ぜひ、その写真をお見せしたいと思います』

とお返事しましたね。これが、その写真です。どうでしょうか？」

天草丸は小さな老朽船で、2泊3日の短い航海だった。今、ヘイマーさんが取り出した写真は、大勢の人が床に座り、大きなテーブルを囲んでいる。周りの壁には紅白の幔幕《まんまく》が張り巡らされている。これはまさしく日本の宴会スタイルである。人々の表情も明るい。ようやく最終目的地のアメリカに向かう太平洋航路の船に乗ることが出来、そのお祝いをしている風景に違いない。

私は思ったことをヘイマーさんに伝えた。記憶の糸を手繰ろうにも手繰れないもどかしさで彼女の表情は悲しそうだった。

「確かに私がそこにいて、父も母も傍にいるのにそこがどこだか分からないというのは辛いものですね。でも、この写真は私たちがホロコーストを生き延びてきたことの証しで、私の心の拠り所です。これからも大切に持っていたいと思います。

そして、せっかくスギハラさんに助けていただいた命です。これからもまだまだ元気で生きていくつもりです。ですから、あなたも必ずもう一度ヒューストンに来てくださいね」

差し出されたヘイマーさんの手は温かく慈愛に満ちていた。

なお、後日調べたところ、この船は1941年1月にサンフランシスコに到着した、日本郵船所有の「新田丸《にった》」（1万7150トン）であることが判明した。

幸子夫人の短歌

●サミュエル・マンスキー氏、ボストン近郊在住、90歳。

2010年9月2日、私はボストン近郊のフレイミンガムという小さな町に向かってタクシーを走らせていた。

暑い！　前日、高温多湿のヒューストンから、さあ今度は快適な気候の東海岸の町だぞ、と期待してやってきたボストンは異常な暑さだった。おまけにホテルの前で拾ったタクシーはオンボロで、エアコンもよく利かない。窓を開けっ放しで1時間近く走り、ようやく目的地に着いた。

「遠い日本からわざわざ会いに来てくださって、本当にありがとう。それにしても、この暑さには驚いたことでしょう」

老人ホームのロビーで待ってくれていたTシャツ姿のマンスキー氏は礼儀正しく私を迎え入れ、奥さんと2人で日々暮らしているという部屋に案内してくれた。

「あいにく、家内は出かけていましてね、なんのお構いも出来ませんが、時間の許す限りゆっくりしていってください。なにか私に尋ねたいことがおありとのことだが、お答えできる限りお話ししたいと思います」

「もう思い残すことはありません」とマンスキー氏

初対面とは思えない親しみがあった。それは、2006年に福井テレビが制作したドキュメンタリー「扉開きしのち ~敦賀に降り立ったユダヤ人の軌跡~」にマンスキー氏が登場してきており、それを何度も観ていたからだった。ただ、画面と比較するとかなり面やつれしている印象は否めなかった。

早速、来意を簡単に説明し、問題の大迫アルバムを見てもらった。

「さぁーて、なにしろ70年も前のことだからねえー。それに、あの混乱の中で私たち家族は一番下の階の船室にこもりっきりでしたからね。残念ながらこの写真の人たちにはまったく心当たりがありません」

実は、今回のアメリカ訪問で会うことになっていた杉原サバイバーの中でマンスキー氏が最年長（当時20歳）であることから、私は彼の記憶に期待をかけていたのだ。

〈それはそうだろう、しょせん無理な注文だったということなのかもしれない。しかし、焦ることはない、まだ始まったばかりじゃないか。これから先どんな展開が待っているかも分からないのだぞ〉

私は気落ちしそうになる自分を努めて鼓舞しようとした。ふと、そのとき、玄関脇の壁に漢字らしい文字が貼られているのに気がついた。対話を中断する許しを得て近くに寄ってよく見ると、それはまさしく日本の色紙で、達筆な漢字による短歌が記されていた。

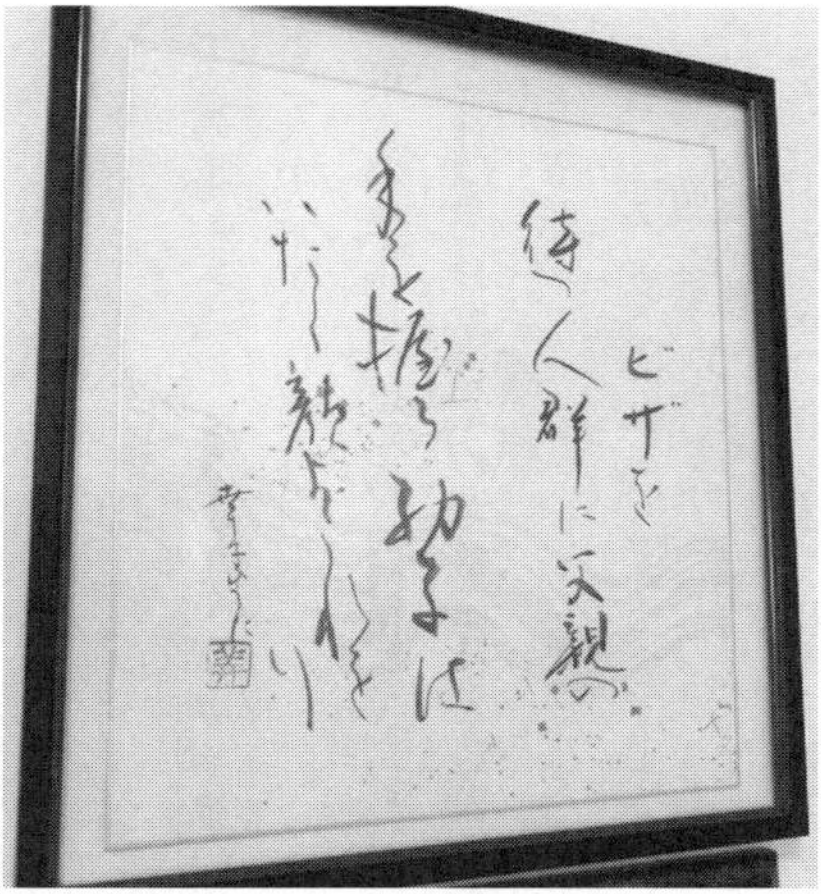
杉原幸子夫人が詠んだ歌

ビザを待つ人群れに父親の手を握る幼子は
いたく顔よごれをり　　幸子のうた

よもやアメリカ東部の小さな町の老人ホームで短歌に巡り会うとは！　しかも、それは紛れもなく杉原未亡人の作だった。幸子夫人は晩年、歌集を出すなど歌を詠むことに熱心だったことは聞いていた。

「そのポエムは、ミスター・スギハラの生誕100年の記念式典に招かれて日本に行ったとき、未亡人から贈られたものですよ」

驚きのあまり、色紙の前に突っ立ったままだった私の背後から、マンスキー氏は説明してくれた。

「これは、杉原さんの領事館に大勢のユダヤ人がビザを求めてきたときの情景を歌ったものなのでしょうね」

私のコメントに対してマンスキー氏は、そのとおり、といった風に静かにうなずいた。

「そのときの子どもも、今頃はどこかで元気に暮らしていればいいんだが……」

彼のなんとなく沈んだ声が気になった私に、マンスキー氏は思いもよらないことを話してくれた。

「実は私は今ガンを患っていましてね。しかし、私は死ぬことはまったく恐れていません。なにしろ、あの過酷な運命を生き延びてこられたのですからね。それに、家族にも恵まれました。3人の息子がいますが、2人は大学教授、一人は銀行の役員としてそれぞれ立派にやっています。私は来月90歳になります。ミスター・スギハラのお陰で救われた命です。ここまで生きてこられて十分に幸せだったと思っています。そういえば、ミスター・スギハラの息子さんも10年ほど前にガンで亡くなりましたね。なにか因縁めいたものを感じます」

命の恩人杉原千畝の息子と同じ病気にかかっていることを、なんとなく誇らしそうに語るマンスキー氏は、心底ミスター・スギハラに心酔していることが感じられた。

この後は問わず語りに思い出を話してくれた。

「ポーランドからリトアニアに逃げ込んだ我々ユダヤ人がビザを求めてカウナスの日本領事館に押しかけたとき、本当は私もその一群の中にいるはずでした。ところが母が私を引き止めたのです。代わりに妹が母と一緒に行きました。そのとき、2人はミスター・スギハラに会っています。後で知ったのですが、私がシオニズム（ユダヤ民族の国家再建運動）に関わっていたため、ソ連軍が私の行方を追っているという情報を母が誰かから聞かされていたのだそうです。今になっても、ミスター・スギハラには一目だけでも会いたかったと残念に思っています。

1941年2月24日、私たちは敦賀に上陸しました。そのときの船が天草丸という名前だったかどうかは覚えていません。しかし、日本人の乗務員が何人かいたことは事実ですから、その中の一人があなたのボスだった人かもしれませんね。ということは、私はそのオーサコさんという人物を確かに見ているのでしょうね。

いずれにしても、敦賀は私たちにとってまさに天国でした。街は清潔で人々は礼儀正しく親切でした。バナナやリンゴを食べることができましたが、特にバナナは生まれて初めての経験でした。それから、神戸に移動し、神戸ユダヤ協会の世話を受けながら2カ月間過ごしました。そこでようやくアメリカへの入国許可を得ることができ、5月18日にシアトルに到着しました。そして、私の安住の地となるボストンに移動しました。

私はアメリカに来てからもミスター・スギハラのことを忘れたことはありません。そのご恩に報いるため、顕彰碑を建てることを計画し、コツコツと募金活動を始めました。私自身で設計したその碑はマサチューセッツ州のチェストナット・ヒルにあるエメス寺院の敷地内に建てられ、2000年4月30日に献呈式が執り行なわれました。ようやく肩の荷が下りたようで、感無量でした。このときの努力が認められたのか、その年の12月に大阪で開催された『杉原千畝生誕100年記念式典』に招かれ、スピーチをさせてもらいました。私の人生最良の日でした。

もう思い残すことはありません。あなたのように、こうしてわざわざ日本から会いに来てくださる方もいることだし……。ただ、あなたとは再びお会いすることもないでしょうが、今の取り組みがいい成果を得られることをお祈りしています」

老人ホームの玄関まで送ってくれたマンスキー氏は、私の乗ったタクシーが発車するまでその場を動こうとしなかった。後部座席から後ろを振り向くとなおも同じ場所に立ち尽くし、炎天下、遠ざかる車をいつまでも見送ってくれていた。その泰然とした姿はホロコーストを生き抜いた一人の人間の強靭さを表していた。

２０１１年6月23日付の各紙は一斉に次のような短いニュースを報じた。

「第二次世界大戦中、日本の外交官、杉原千畝の発給した日本通過ビザに救われた６０００人以上のユダヤ人の一人であったサミュエル・マンスキー氏が日曜日にマサチューセッツ州ハイアニスの病院で死去した。友人と在ボストン日本総領事館が明らかにした。90歳。なお、同氏は杉原千畝の顕彰碑を建てるための募金活動を行なうなど、その実現に尽力したことで知られる」

ニューヨークの肝っ玉母さん

●リリー・シンガーさん、ニューヨーク近郊在住、88歳。

マンスキー氏に面談した翌日の早朝、私はアムトラックの列車でボストンを発ち、正午前にニューヨークに到着した。そして、ホワイト・プレインズというニューヨークの近郊の町に住むリリー・シンガーさんを訪ねた。彼女もまた杉原サバイバーの一人だが、他のサバイバーと違うの

「私はポーランド生まれのポーランド育ちよ」とシンガーさん

は、ウラジオストクからは天草丸ではなく「河北《かほく》丸」という別の船に乗って敦賀にやって来たという点である。

実に明朗快活な老婦人だった。先に会ったヘイマーさんにしてもマンスキー氏にしても、過酷な運命に翻弄されながらもそれと闘い、ようやくにして幸せを掴んだという、苦難を経たことによる〝陰影〟を感じさせられたが、このシンガーさんは「過酷な運命？　そんなもの私には関係ありませんよ」といった風情だった。その上、ユーモアのセンスも一流で、〝生真面目な日本人〟は戸惑うことしきりだった。

杉原サバイバーの大半はポーランドから逃れてきた人々だったが、シンガーさんもやはりポーランドの古都クラコフの出身だった。その彼女が天草丸の乗船客でなかったことを承知した上で、大迫アルバムを見せながら話を始めさせてもらった。

「これらの７名のうちこの２名はポーランド出身のようで、裏書きのメッセージはポーランド語らしいのですが、お読みになれますか？」

「あなた、私はポーランド生まれのポーランド育ちなのよ。どれどれ、読みにくい文字だわねぇ―。『私を……覚えて……いてください。素敵な……日本人へ……』といった意味のようね」

「この写真を初めて見たときから、この人たちはどんな気持ちで大切な写真を大迫さんに手渡したのだろうかと、とても気になっていました。そのような意味なら、やはり乗船中お世話になったことへの感謝の気持ちからなのでしょうかね？」

「たぶんそうでしょうね。でも、案外、あなたのボスから要求したのかもしれないわね。相手が若い女の子だから、ホホホ……」

「……？？？」

「冗談よ。それより、あなたがそのようにしていろいろ調べている目的はなんなの？」

「実は、杉原さんのあの偉大な人道的行為を陰で支えた人々もいたのだということを広く知ってもらいたいというのが私の狙いで、それをテーマにした本を書くことを計画しているのです」

「それは素晴らしい！　私もぜひ読みたいわ。それで、その本はいつ頃出来上がるの？」

「まだ調査活動を始めたばかりなので……。それに、日本語での出版が先決問題で、英語版というのは今のところ……」

「あなたって悪い人ねぇー」

「すみません。私は職業作家ではありませんので……。ところで、スギハラ・サバイバーとして、なにかお話しいただけませんか？」

「スギハラさんに関しては溢れるほどの思いがあるわ。

　1985年にイスラエル政府がスギハラさんに『諸国民の中の正義の人』の称号を贈ったわね。実は、私はその前から一度お礼の手紙を書きたいと思っていたの。でも、なかなかペンが取れなくてねぇ。それで、そのときがチャンスだと思って書こうとしたの。ところが、その頃、スギハラさんはとても重い病気だというじゃないの。私は自分の怠慢が本当に恥ずかしくなったわ。相手の人が重病だということが分かっていて、手紙を書くことほど辛いことはなかったわ。命を助けてもらったことへの遅ればせのお礼と病気のお見舞いを書いたのだけど、私の気持ちを十分に伝えられなかったわ。それが今でも心残りでね。それよりもなによりも、私の手紙はスギハラさんに読んでもらえたかしらね。

　ところで、スギハラさんは本国の訓令に背いてビザを発給したのではなくて、実のところ、外務省は了承していたという説もあるけど、真実はどうなんでしょうね?」

「私はやはり杉原さんは自分の意志で出したのだと思いますよ。現に、承認しないとする外務大臣からの電報も残っているようですしね。定説とは異なった意見を言うと新鮮に響き、注目されますからね。ところで、その後は日本に行かれたことがおありなのですか?」

「それが恥ずかしいことに一度もないの。以前から一度は行ってみたいと願っていたのだけど、もうこの歳になるとね……。でも、日本はなんといっても私たちを救ってくれた国、思い出もたくさん残っているわ。

それを少し話ししろ、ですか?　いいですよ。

日本に到着したとき、私たちは幸いアメリカまでの乗船券を持っていたので、敦賀から東京に直行したの。そのときの列車は素晴らしかったわ。車両は小さい玩具のようだったけど速く走ったし、清潔だし、時間は正確だし、車掌さんも親切だし、数時間の旅はあっという間だったわ。

数時間じゃ無理?　十数時間かかったはず?

あなた、いいですか、私たちはね、10日間以上もかけてシベリアを走り抜けて来たのよ。十数時間も数時間も同じことよ。あなたはやっぱり几帳面な日本人ね!　ホホホ……。

東京では世界で最も素晴らしいホテルの一つと言われた帝国ホテルに泊まったの。それは大変なカルチャー・ショックだったわ。戦争でズタズタに引き裂かれたヨーロッパを逃げ出し、なんにも見えない広大な雪の原野をひたすら走り、シベリアの貧困を目の当たりにした後の帝国ホテル。その庭園の美しさ、静けさ、清潔さ……。部屋の中も整理整頓が行き届いており、横に滑らせて開け閉めするドアも新鮮だったわ。あまりの素晴らしさに圧倒され、すべてのものを吸収することが出来なかった。

外の散策も楽しかったわ。行き交う人々は私に好奇な目を向け、私も生まれて初めて出会った日本の人々を不思議そうに眺めていたと思うわ。仲間の一人と、この日本人たちは私たちのことをどう思っているだろうかと想像をめぐらし、ああでもない、こうでもないと話し合いながら歩いたの。大きな声だったので、みんな振り向いていたけど、ポーランド語だから大丈夫という安心感があったわ。

食べ物を売るお店がたくさんあって、いろいろ試したかったのだけど、結局なにも食べることが出来なかった。なぜって、お店の人たちはまったく英語が話せないし、私たちも一言の日本語も使えませんでしたからね。お腹がとても空いたけど、散歩は本当に楽しかったわ。

それから、皇居とその庭園も見学したわ。東京ではそれくらいしか見られなかったけど、祖国のポーランドのことを考えると夢のようだったわ。

おやおや、私一人でおしゃべりしてしまったけど、こんな話ではあまりお役に立たなかったでしょうね。でも、私の方は久しぶりにスギハラさんのことや日本のことを思い出させてもらって嬉しかったわ。

あなたが探している人たちの消息が掴めるようにお祈りしていますね。それから、あなたの本を英語版でも出すことも忘れないでね」

マンスキーさんとの別れは後ろ髪を引かれる思いだったが、この〝肝っ玉母さん〟とは、そんな〝愁嘆場〟は無縁だった。

〈この分だと、このオバアサンはまだまだ大丈夫だな〉

後ろ髪を引かれるどころか、私は背後から力強く押し出されるようにして見送られた。

命のパスポートを寄贈した人

●シルビア・スモーラーさん、ニューヨーク在住、76歳。

岐阜県の八百津町役場に一冊のパスポートが保管されている。かつての所有者はポーランド国籍で、はるか昔にこの世を去ったアレクサンダー・ハフトゥカ（Aleksander Hafftka)。このパスポートには杉原千畝の手書きによる、いわゆる「杉原ビザ」が記載されている。発給日は１９４

手料理を用意して待ってくれていたスモーラーさん

0年7月31日。これを八百津町に寄贈したのはハフトゥカの長女で、現在はニューヨーク在住のシルビア・スモーラー博士である。

2010年9月5日、私はこのスモーラーさんを自宅に訪ねた。さすがにマンハッタンにある高級マンションである。玄関の守衛に始まり、来客のアポを確認する管理人、さらにエレベーター・ボーイといった3人の出迎え（あるいは監視？）を受け、大いに面食らってしまった。

「ようこそ。さあさあ、どうぞ中へ入ってください」

やや緊張しながらブザーを押した後だっただけに、開かれたドアから覗いた笑顔は明るいバラのようだった。足を踏み入れた室内には多くの絵画や彫刻が飾られ、さながら高級ギャラリーだった。すべて、芸術家だったご主人の作品で、聞けばそのご主人はこの年の初めに亡くなったという。

「もうお昼時だから、まずはランチにしましょう」

アポを申し入れた際の返事には軽い食事を用意しておくからとあったが、初対面にもかかわらず、このような歓待を受けるとは予想外のことだった。テーブルの上には数種類の料理が並べられてあり、けっして〝軽食〟なんかではない。特に、酢漬けのニシンがおいしく、私は出されたものを全部平らげてしまったほどだ。スモーラーさんもそれには気を良くしてくれたようで、話が思いのほか弾んだ。最近のスペイン旅行で彼女が財布をすられたといった肩の凝らない話などが続いた後、話題が少し重くなった。

「数年前でしたか、京都のある大学から講演を頼まれましてね、私の経験談を話させていただきました。質疑応答になって韓国からの留学生に、ドイツ人を憎んでいますか、と質問されました。かつて日本の植民地支配を受けた国民の一人として、彼も日本に対しては複雑な感情を持っていたのでしょうね。私は答えました。

『いいえ、私はそうならないように努力しています。だって、今の人たちにあの戦争の責任はないのですから』

彼にとっては満足のいく答えではなかったかもしれませんが、私は彼がせっかく京都にまで来て勉強しているのに、いつまでも過去に引きずられていたのでは留学の意味がないと思ったのです」

ランチを取りながらの歓談に一区切りがついたところで居間のソファに移動し、本題に入ることになった。これまでのインタビューの際に持った緊張感をまったく感じなかったのは、ふるまわれたワインのお陰というよりも、スモーラーさんの相手を包み込むような包容力に負うところが大きかった。

「こんなに貴重な写真をわざわざ日本から持ってきてくださったのに……、残念ながらどの人にも心当たりがありませんわ。

でも、オーサコさんはなんとハンサムな方だったのでしょう。もし、私が年頃の娘だったら、きっと恋をしていたに違いないわ、ホホホ……。

清水寺にて。前列左から２番目がスモーラーさん。その後ろがお父さん、中央のコート姿がお母さん
写真提供：シルビア・スモーラー

では、私からも一枚の写真をお見せしましょうね。これは、神戸滞在中に両親の友だちの家族と京都に旅行したとき、清水寺の前で撮った写真です。日本人のガイドさんが案内してくれましてね、とても楽しくってみんな大喜びだったわ。

神戸での生活ですか？　私たちと同じような難民が大勢いましたよ。神戸ユダヤ協会のお世話で私たちは一軒のホテルに滞在していました。私は一緒に遊ぶ友だちもたくさんいたし、とても幸せでした。両親もやっとのことでヨーロッパから逃げ出すことが出来、もうなにも、もう誰をも恐れることはなくなったのですから、ホッとしていましたね」

「ところで、ドクター・スモーラーは医学者でありながら、文学的才能もお持ちで、『Rachel and Aleks』という小説をお書きになりましたね。実は、今度お目にかかることになったので、急いで手に入れて読んできました。敦賀に到着した日は旅館に泊まったというお話など、とても興味深かったです。あの小説はどの程度フィクションなのでしょうか？」

「いい質問ね。あれは、私の両親を主人公にした

『Rachel and Aleks』の表紙。
写真はスモーラーさんのお母さん

小説なんですが、母の事業と恋愛の話以外はすべて事実に基づいていますのよ。とにかく、父は大変な教養を備え、ポーランドの内務省のお役人で、政府内のユダヤ人としては最高の地位に就いていました。外国語にも堪能でしてね、ポーランド語、フランス語、ドイツ語、イディッシュ語、英語を流暢に話し、あと2～3カ国語を読むことが出来ました。1933年に父が著した『新生ポーランドにおけるユダヤ人』はこの分野の研究者の必読書となっており、現在でもニューヨークのYIVO図書館に所蔵されています。

一方、母は信念の人でした。当時、ポーランドでは反ユダヤ主義が日増しに強まっていました。ある日、お偉い方々を自宅のパーティーに招いたそうです。全員ポーランド人でした。そのとき、突然、母の父、つまり私の祖父が訪ねて来たそうです。祖父は典型的なユダヤ人で長い髭を生やし、頭にはいつも帽子を載せていました。ポーランド語も強いイディッシュ語訛りで、少ししか話せませんでした。祖父はそのパーティーには明らかに不釣り合いでした。にもかかわらず、母は祖父を最も重要な席に着かせました。理由は、自分の父親で、尊敬に値するからだということでした。当時18歳だった叔母もその場におり、後年よく話してくれましたよ。あれは本当に勇気のある行動だったと、ね。

日本語版を出版したらどうか、ですか？　いいことを言ってくださったわね。実は、それは私の以前からの夢だったのですよ。お力を貸してくだされば嬉しいですわ。あなたもオーサコさんの話を本にする計画がおありだそうですが、日本に帰って落ち着かれたら、また話し合うことにしましょうね」

話が予想外の方向に進んできて少々戸惑ったが、杉原サバイバーの経験談が日本語で紹介されるというのは非常に喜ばしいことであるので、私で役に立てるのであれば喜んで協力したい旨を伝えた。

ところで、スモーラーさんといえば冒頭で記したように、なんといっても、家族全員の命を救ってくれた「杉原ビザ」のパスポートを岐阜県八百津町に寄贈したという、その寛大さである。私がそのことに言及すると、彼女はニッコリと頷き一枚のペーパーを差し出してくれた。

「パスポートの贈呈式が八百津町で行なわれたのは１９９３年12月４日でした。そのとき、請われてスピーチを行ないました。これがその原稿です。よかったら、後で読んでおいてください」

辞去するのが惜しまれるほど楽しい訪問だった。その余韻に浸ろうと、私はホテルの部屋に戻るとすぐにスピーチの原稿に目を通した。

「本日、このパスポートを贈呈させていただきますことは、私の大きな喜びでございます。

これは、何千人もの命を救った気高い行為を実践した杉原千畝という人物の人道精神の遺言と言うべきものであります。

ユダヤ教の聖典であるタルムードには『一つの命を救う者は世界を救う』という格言があります。私は杉原千畝さんこそ、まさにこの『世界を救う』役割を果たした人ではないかということを皆さんに申し上げたいと思います。

子どものとき、私は両親と共に第二次大戦下、ナチスの迫害から逃れるためポーランドからリトアニアにやって来ました。ヨーロッパを脱出するには第三国への入国ビザが必要でした。ヨーロッパから出られないユダヤ人にはナチスの収容所で確実に死の運命が待っていました。そこでは、ガス室に送られ、焼却炉で死体が焼かれていたのです。

在リトアニアの杉原千畝領事は卓越した高潔な人物で、難民の立場を理解し、彼らに救いの手を差し伸べないではいられなかったのです。そこで、杉原さんは日本への通過ビザを発給することによって彼らを助けたのです。本国の許可を得ずに、日本国の赤い公印が付いた命のビザを何千通も発給したのです。私たちは彼のビザのお陰で日本に来ることが出来、それによって救われた6000人の一人です。

きょう、私がここにこうして立っていられるのも、杉原千畝さんに命を救われたお陰なのです。

パスポートの贈呈式　写真提供：八百津町

……（中略）……

皆さんもお分かりのように、杉原領事は私の命を救ってくださっただけではなく、私の息子の命、さらには彼の将来の子どもの命、そしてさらにはそれらの人々が現在から未来にかけて出会うすべての命を救ってくださったのです。きょう私が贈呈させていただきますパスポートのビザを、杉原さんが救ってくださった6000人に乗じてみましょう。どれだけ多くの学者、芸術家、科学者、音楽家、政治家、医者、工芸家が杉原さんに救われたことになるでしょうか。これこそ、タルムードの教えのとおりではないでしょうか。

本日、ここにお招きいただいたことを深く感謝いたします。そして、この貴重なビザによって始まった日本との関係を復活させ、新しく私の義理の愛娘

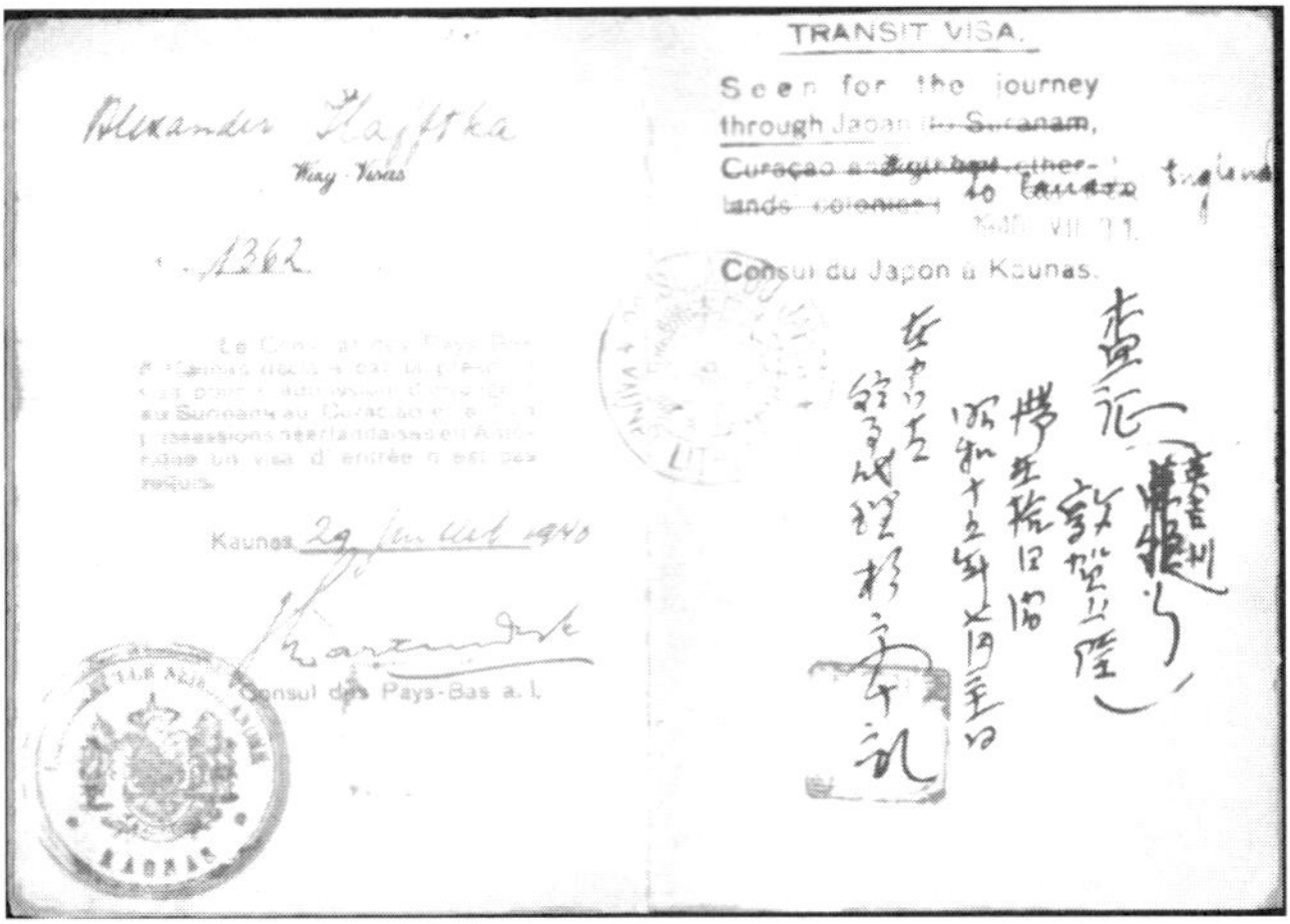

手書きの杉原ビザ　写真提供：八百津町

となったユーコ・カワイを通じてその関係をこれからも続けていけることを大変嬉しく思います。
　1940年に賜ったご恩と、1993年の今日、皆さんから示されたご厚意に厚くお礼を申し上げます」

ハフトゥカ一家3人の命を救ったビザ――。

　つい数時間前に、スモーラーさんの自宅でパスポートの写真を見せられたときの感動が蘇ってきた。そこには紛れもなく、「在カウナス大日本帝国領事館」のスタンプが押され、杉原千畝の手書きによるビザが記載されてあった。
　私は日本から持参してきた『Rachel and Aleks』をスーツケースから取り出し、ビザが手渡されたときのくだりをもう一度読んでみた。

「『あなたは日本からどこへ行く予定ですか？』とスギハラはアレックスにポーランド語で尋ねた。

『キュラソー（140ページ参照）です』とアレックスは答えた。

『そうそう、そうでしたね』とスギハラは言い、大日本帝国の赤い公印を押し、そして署名をした。彼らはついにビザを手にした。21日間有効の、目的国に行くための日本通過ビザを！」

このビザがリトアニアのカウナスで出されたのが1940年7月31日、私がニューヨークのスモーラーさんを訪ねたのが2010年9月5日。ちょうど70年の隔たりがあった。その時空を超え、当事者本人と今や伝説となった「命のビザ」に接することが出来たのも不思議といえば不思議な幸運だった。

私は、いつかはカウナスと八百津町をぜひ訪問したいと改めて思った。

そう、カウナスはビザが生まれた場所であり、八百津町はパスポートが静かに眠っている場所なのだ。

ここに生存者がいるぞっ！

●マーシャ・レオンさん、ニューヨーク在住、79歳。
「本当なら私の家に来ていただきたいのですが、あいにく今、内装工事中なもので……。代わりに私の行きつけのレストランでお会いしましょう」

今なお現役のジャーナリストとして多忙の彼女は直前にならないと予定が分からないので、前日に電話してほしいとのことだったのだ。

翌日（9月6日）、指定された中華レストランで会ったレオンさんは、これまた想像以上に若々しかった。

「私のホロコースト体験の原点とも言うべき出来事はこのようなことでした。

1939年9月にドイツがポーランドに攻め込んで来た後、私は母と2人でワルシャワを逃げ出しました。もちろん着の身着のままで、所持品はマッチ、塩、針、糸、そしてわずかなお金だけでした。一人の農夫が荷馬車に乗せてくれました。郊外まで運んでくれるというのです。すでに12人ほどの人でいっぱいでした。ほとんどが子どもと主婦で、後は一人の老人でした。農夫は私たちからすべて

マーシャ・レオンさん　©Karen Leon

の貴重品を集めました。ドイツ兵に見つかっても自分なら調べられないとのことでした。彼は私たちをドイツ軍の司令部まで連れていき、『ユダヤ人のご一行をお連れしやしたぜ』と言って、私たちの所持品を持ち去りました。

私たちは建物の壁を背にして整列させられました。ドイツ兵は私たち一人ひとりに番号札を貼り付けました。そして、冬の夜一晩中、立たせられました。明け方、ドイツ兵はピストルを手にして戻って来ました。

あなたは『シンドラーのリスト』や『戦場のピアニスト』を観ましたか？　ユダヤ人たちがいとも簡単にライフルやピストルで射殺されていましたね。そうです、あれと同じことだったのです。そのとき犠牲になったのは奇数番の人たちでした。私と母は離れ離れになっており、幸運にも偶数番だったので奇跡的に助かりました。奇数にするか偶数にするか、それはそのときのドイツ兵の気まぐれで決まるのです。

それから後に、逆のケースがありました。

ドイツはドイツ領内からユダヤ人を追い出そうとしたし、ソ連はソ連領内にユダヤ人を入れようとはしなかったため、境界線で立ち往生した人々は飢えと寒さでバタバタと倒れていきました。

私たちはソ連領内に住む母の両親を頼って行こうとしていたのです。私はおたふく風邪にかかり熱を出していました。そのとき、一人の農婦が助けてくれました。私たちを荷馬車の中に隠し、無事にドイツ領内から連れ出してくれました。そして、しばらくの間、彼女の家の納屋でかくまってくれたのです。ユダヤ人を助けたことが発覚すると村中の人々が処刑される時代でした。

私の病気が治り、ソ連領内に向かっていたとき、若いソ連兵に止められ、『戻れ、戻らないと撃つぞ！』と言われました。そのときは泣き出すのよ、と母から言われていたので私は泣き出しました。母は『マーシャ、泣くのはおやめ』と私の名前を呼びました。それを聞いたソ連兵は『いつからポーランド人は子どもにロシア人の名前を付けるようになったのだ？』と言い、私たちを司令部に連れていきました。私の名前が『マーシャ』であることが分かるとパンや紅茶が出され、その上、駅まで送ってもらいました。お陰で、無事に母の両親の家にたどり着けたのです。

アラアラ、私一人がおしゃべりしてしまって……。あなたのお話もお聞きしなくちゃね。そうそう、天草丸に関してでしたわね？

それはもう、海は荒れっぱなしで、船は大揺れに揺れていました。みんな船酔いで、あちこちで嘔吐していました。そのため船室は異臭が立ち込めていました。あまりの臭さに私は甲板に出て、一人で遊んでいました。私はなぜか船の揺れには平気でした。乗組員の一人に、子どもは下に降りていくように言われたのを覚えています。誰かが、あの船は家畜運搬船だからあんなに臭かったんだ、なんて言っていましたね。

ああ、この人がオーサコさんですか？　そりゃ覚えていませんよ。あんな状況だったのですからね。でも、とても素敵な男性ですね。

残念ながらこの7人の人たちにも心当たりはありません。必ずしも同じときに同じ船だったとは限りませんしね。なるほど、この男性はシャルル・ボワイエによく似ていますね。ホホホ……。

今回、あなたが天草丸のことを調べにニューヨークに来られるという連絡を受けて、ある人たちのことを思い出し、40年ぶりに電話をしました。相手は天草丸に一緒に乗っていた母親と私より4歳くらい年上の双子の姉妹です。姉のヒンダと話すことが出来ました。彼女によるとお母さんはかなり以前に亡くなり、妹のハンナも最近亡くなったとのことでした。でも、私が電話したことをとても喜んでくれました。

あなたが私たちの旧交を復活させてくださったわけで、お礼を言いますよ。

ところで、シカゴではレオ（後出のレオ・メラメド氏のこと）にお会いになるそうですが、よろしくお伝えください」

〈エッ！〉

料理を口に運ぼうとした私の手が止まったままになった。

誕生パーティーの写真。右側列の前から5番目の少女がマーシャ・レオン（Bernsteinは旧姓）さん。左側列の手前の少年がレオ・メラメド氏　写真提供：マーシャ・レオン

「オヤ、ご存じなかったのですか？　私とレオは小さい頃からの知り合いでした。彼の方が私より2歳下です。ヨーロッパを逃げ出す前の一時期、両方の家族はヴィルノに住んでいました。そのとき、私の誕生パーティーが開かれ、みんなで撮った写真があります。これがその写真です。ここには15～16人の子どもが写っていますが、大半は強制収容所に送られ、命をなくしています」

マーシャ・レオンさんとレオ・メラメド氏が知り合いだったという事実にはかなり驚かされた。

しかし、私が驚いたのはもっと奥深いところにある偶然性にであった。

当時、ポーランドにいたユダヤ人は三百数十万人と言われていた。そのうちの数十万人がリト

アニアに逃れ、その中の６０００人が杉原ビザによって救われたとされている。そして、その中にレオンさんとメラメド氏がいて、２人は相前後してアメリカに渡り、長じて一人はニューヨークに、もう一人はシカゴに住むことになった。これだけでもかなり希有なことだと思うが、〝もっと奥深い〟という意味は、私が今回会うことになったわずか９名の中に、もう少し強調して言えば「６０００名の中のわずか９名」の中に２人が含まれていたということである。しかも、２人は幼馴染みというではないか。

シカゴでメラメド氏に会うことが、ますますエキサイティングになってきた。

後日談を少し。

このレオンさんには実によく驚かされる。

２０１１（平成23）年6月、私は調べたいことがあって横浜にある日本郵船歴史博物館を訪れた。杉原ビザ関係のファイルの中に一枚の写真を発見し、なにげなく裏面を見て驚いた。「Masha Leon」という名前に出くわしたからだ。その写真は――。

約10人の人々が船上の手すりから下の方を見下ろしている。中に一人の少女がおり、なにかしら不安げな視線を投げかけている。浮き袋には「HEIAN M」の文字が読めるが、これは「平安丸」

手前の少女がマーシャ・レオンさん(当時10歳) 写真所蔵:マーシャ・レオン

を意味するのだろう。

これらの人々は、1940年から1941年にかけてヨーロッパからシベリアと日本海を経由して敦賀に渡ってきたユダヤ人のグループで、この写真は彼らが横浜から当時の日本郵船の「平安丸」に乗って米国のシアトルに入国したときのものである。

早速、私はこの写真を付してレオンさんにメールを送ったところ、数日後に返事を受け取った。

「そうです、間違いなくその少女は私です」

彼女の興奮が伝わってくるようなメールの内容は以下のようなものだった。

「それにしても、あなたからあの写真が送られてくるとは信じられない気持ちです。あれは1941年の8月の初めだったと記憶しています。この写真の人々は全員モスクワからシベリア鉄道に乗ってウラジオストクに到着し、そこから船で敦賀に到着したのです。

敦賀から一部の人たちは横浜に行きましたが、私と母は次の行き先国のビザがなく、神戸で滞在を余儀なくされました。神戸のユダヤ協会の尽力でなんとかカナダ入国のビザを手に入れることができ、7月に横浜を出航しました。そして、無事にシアトルに着いたのですが、米国のビザを持っていない私たちは上陸することが出来ませんでした。幼い私は不安でたまりませんでした。何人かの人たちは大喜びで船を下りていったからです。私の後ろに写っているのが母です。母の説明で少しは安心したことを覚えています。

カナダから米国に移った後、写真の幾人かとは交流がありました。中には、とても有名な学者になった人もいますが、今は全員が亡くなっています。乗船客の中で私は数少ない子どもでしたので、みんなから可愛がられました。私と母はお金がなかったので3等室でしたが、いつも1等室に遊びに行っていました。

あれからもう70年が経ちました。日本を出発する少し前、私は神戸で10歳の誕生日を祝ってもらったばかりでした。そうです、私ももう80歳になりました。

それから、平安丸についてはいろんな思い出があります。あのとき、日米関係はかなり悪化しており、そのため平安丸は搭載した貨物をすべて押収され、空船で横浜に戻りました。その後、海軍に徴用され潜水母艦として戦地に赴き、１９４４年2月、アメリカ海軍とトラック島で戦火を交え、被弾して沈没したのです。

それから数十年経ったある日、自宅で夫となにげなくテレビを観ていたら、トラック島戦闘のドキュメンタリー番組が流れていました。圧巻は沈没した船の残骸のシーンでした。それは紛れもなく平安丸でした。そのとき、夫は冗談で叫びました。

『ここに生存者がいるぞっ！』

そのほか、私たちの横浜からの航海中に出されたすべての食事のメニューを保存していましたので、日本郵船に送ってあげたこともありました。私の家の屋根裏には今でも平安丸のステッカーが貼りついたトランクが眠っています」

10カ月前のニューヨークではランチタイムでの面談だったため、期待したほどの取材が出来なかったが、偶然に発見した一枚の写真が十分に穴埋めをしてくれた。

天涯孤独から40人の大家族に

●ベンジャミン・フィシショッフ氏、ニューヨーク在住、87歳。

グランド・セントラル駅からほど近くのパーク・アベニュー通り99番地に建つ「メトロポリタ

今も現役の銀行家として活躍中のフィショッフ氏

ン・ナショナル・バンク」がこの日（9月7日）の訪問先だった。
銀行だけあって受付のセキュリティーは、顔写真まで撮るほど厳重だった。しかし、案内された部屋の主は対照的に穏やかな人物だった。
「数日前、マーシャ・レオンから電話があって、あなたの訪問のことを聞かされていたので、きょうは特別な方もお呼びしておきました。ご紹介しましょう、ラビ（ユダヤ教の宗教的指導者）のマーヴィン・トケイヤー師です」
実を言うと、私はトケイヤー師については『河豚計画（フグ・プラン）』の著者という程度の知識しか持っていなかった。河豚計画とは、ユダヤ難民を満州に移住させようとするものであったが、日中戦争の泥沼化により、結局は頓挫してしまった。

それはさておき、私は大迫アルバムを取り出し、２人の前に広げた。フィショッフ氏は７人の写真をじっと眺めていたが、やはり首を横に振った。しかし、７人の乗った船が天草丸であったことに話が及ぶと、がぜん表情が変わった。その変化に私が驚きを示すと、意外なことにトケイヤー師が説明役を買って出た。10年以上の滞日経験を持つトケイヤー師はきれいな発音が自慢らしく、ときどき日本語を交えて話してくれた。

「キタデさん、あなたは１９４１年3月中旬にウラジオストクから敦賀行きの天草丸に乗っていた３５０名のユダヤ難民のうち、72名が日本の通過ビザを持っていなかったために敦賀に上陸できず、ウラジオに送り返されたという出来事は知っていますか？

実はですね、そのうちの一人がこのフィショッフさんだったのですよ」

私がびっくりしてフィショッフ氏の顔を見ると、後はご当人の独演会となった。

「忘れもしません、それは3月13日でした。我々の船が敦賀港に到着すると、日本人の係官が船に乗り込んで来ました。そして、我々のパスポートを調べると、次の行き先国のビザがないから入国は認められない、と言うのです。

当時、カリブ海に浮かぶオランダ領のキュラソー島はビザなしで行けることになっていたので、そこに行くことを証明する書類が必要だったのです。そこで、我々ユダヤ難民はカウナスの日本領事館でミスター・スギハラから日本通過ビザをもらい、次にオランダ領事館に行ったのです。ところが、ソ連の命令ですでに閉鎖されていました。そのため、とにかく日本へ行くことが先決だと考え、シベリア鉄道を経由して天草丸に乗り、敦賀まで来たのです。

係官には、日本に上陸してから必要な書類を整えるからと訴えたのですが、どうしても認められませんでした。仕方なく3日後の16日に敦賀を離れてウラジオに戻ったのです。ところが、今度はソ連の官憲から〝日本のスパイ〟呼ばわりをされ、数日間、天草丸に閉じ込められていました。そのときは、シベリアで強制労働に従事させられるのではないかと恐怖を感じました。

結局、日本入国の見通しも立たないまま天草丸でウラジオを発ち、もう一度敦賀に向かいました。神戸ユダヤ協会の奔走に望みを託すしかありませんでした。そして、運命の日の3月23日、天草丸は再び敦賀港に近づいていきました。甲板から見覚えのある港の景色を眺めていると、岸壁からこちらに向かって叫んでいる人がいました。船がその人の顔が見えるところまで来ると、前回の入港のときに出迎えに来てくれていた神戸ユダヤ協会の職員であることがはっきり分かりました。

協会が駐日オランダ大使館と交渉してキュラソーに上陸するための証明書を入手してくれたのです。あのときは本当に敦賀が天国に思えました。

ところで、話は飛びますが、数年前にここニューヨークでツバルテンディク氏の3人の子どもさんと夕食を共にしました。ツバルテンディク氏というのは、当時、カウナスのオランダ領事をしていた人で、キュラソー島ならビザなしで行けることを教えてくれた人なのです。つまり、私たちの恩人です。神戸ユダヤ協会はそれを根拠に東京のオランダ大使館に掛け合い、我々72名のための証明書を出してもらったのです。

私は夕食会の席上、お子さんたちにお礼を述べました。そのとき、もう何十年も昔のことなのに、どうして私のことが分かったのかと尋ねました。すると驚くべき答えが返ってきました。なんと、ワシントンの国立公文書館に72名のリストが保管されているというのです。東京のオランダ大使館が作成したリストがどういう経路で国立公文書館に渡ったのか、今でも不思議でなりません。

いずれにしても、私はミスター・スギハラやツバルテンディク氏のお陰で日本にたどり着けました。しかし、いろいろな事情ですぐには日本から出国できず、41年8月まで神戸に留まり、結局、強制退去の形で上海に送り込まれました。そして、47年にようやくのことでアメリカに来ることが出来ました。そのとき私はたった一人でした。親兄弟はヨーロッパに留まったため、後に全員が殺されました。

フィショッフ氏一族の集合写真　写真提供：ベンジャミン・フィショッフ

そのたった一人残った男が結婚し、5人の子どもが授かりました。彼らも全員が結婚し、28人の孫が生まれました。今では曾孫も15人になりました。

これは数年前に撮った家族全体の写真です。これから数年のうちにたくさんの赤ん坊が生まれ、全体の数はもっと増えるでしょう。ミスター・スギハラに救われた命は数千と言われています。そこから、私の推計では少なくとも10万以上の命が生まれました。タルムードに言われている『一つの命を救う者は世界を救う』のとおりです」

フィショッフ氏が誇らしげに見せてくれたのは、核家族化が叫ばれて久しい今の日本ではめったに見られないような、素晴らしい大家族の写真だった。私が感動に浸っているとトケイヤー師が声を掛けてくれた。

「キタデさん、実はユダヤ暦では今が新年で、いろいろ行事があります。申し訳ありませんが、私は次の約束があるのでこれで失礼します。どうぞいい旅を続けてください。私の『河豚計画』は後から郵送しておきますから、読んでください。あなたの本の出版計画もうまくいくようお祈りしています。では、シンネン、オメデトウ、ゴザイマス。ちなみに、今年は5771年になります。長いでしょう」

なんのことはない、私はユダヤの人々にとって最も大切な時期に押しかけて来たのだ。聞けば、フィショッフ氏も次の週からイスラエルに出かけるとのこと。私は恐縮してしまった。

「最後にお尋ねします。ウラジオストクと敦賀の間を1回半往復したとなると、ミスター・オーサコとは何らかの形で接触があったと思うのですが、なにかご記憶はありますか？」

「……」

残念だが、といった表情でフィショッフ氏は両肩をすくめた。無理もない。フィショッフ氏はあのとき、それこそ〝生きるか死ぬか〟の瀬戸際に立たされていたのだ。私は無思慮な質問をしたことを申し訳なく思った。

杉原サバイバーは程度の差こそあれ、それぞれ数奇な運命をたどってきたのであろうが、フィショッフ氏の来し方はことのほか波乱に満ちたものであったようだ。残された人生は、あの幸せ

「父は日本の天皇を信頼していました」とクラカウスキー氏

そうな大家族に囲まれて楽しく過ごしてもらいたいと願うばかりである。

自由の地での最初の夜

●ヤン・クラカウスキー氏、ニューヨーク在住、78歳。

映画「ウエストサイド物語」の主演男優、ジョージ・チャキリスを思わせるイケメンだった。私が乗ったタクシーのドライバーのことである。

「ハリウッドのスターみたいだね」

とたんにジョージ・チャキリス君は相好を崩した。

「イランの出身です。26歳になります」

9月8日、ニューヨーク滞在も6日目を迎え、私にも余裕が出てきたようでこんな会話が出来るようになっていた。ところが、この後がいけなかった。

ひどい交通渋滞に巻き込まれてしまったのだ。余裕を見てホテルを出たつもりが、約束の時刻までもう10分もない。チャキリス君に尋ねると、あと30分以上はかかるだろうとのこと。「ハリウッドのスター」が効いたのか、携帯電話を快く貸してくれた。

「私の方は問題ありません。どうぞ、慌てないでゆっくり来てください」

電話の主は優しそうだった。

結局15分ほどの遅刻となった。にもかかわらず、クラカウスキー夫妻はにこやかに迎えてくれた。イースト・リバーを見下ろす素晴らしい眺めの居間で面談が始まった。

「ソ連の領海を出たとき、乗船客はほとんど全員、甲板に出て一斉に『ハティクヴァ』を歌い出しました。今のイスラエル国歌です。それはもう本当に喜びの爆発でした。横にいた父は私の肩に手を置き、『もう大丈夫だ。これからは日本の天皇が私たちを守ってくれるだろう』と言いました。それを聞いて、私はそれまでなにも知らなかった日本が急に身近に感じ、天皇というのはそんなに偉大なのかと思いました。私が今でも日本に親しみを感じ、信頼を寄せているのは、このときの経験によるものだと思います。

ウラジオストクに到着し、船に乗るまでは本当に心配でした。モスクワから列車に乗るにあたって、私たちはインツーリスト（当時のソ連国営旅行社）からドルで正規の乗車券を購入してありました。ソ連はドルを非常に欲しがっていましたから、私たちは難民ではなく普通の旅行者として扱われ、乗務員の対応も比較的親切でした。しかし、シベリア鉄道は単線で、対向列車を通すために頻繁に停車しなければなりませんでした。そのたびにソ連の官憲が乗り込んで来て、いろいろチェックするので不安でたまりませんでした。実際に、途中で連行されていった人たちもいました。結局、モスクワから２週間もかかりました。そんなうんざりするような列車の旅の後だっただけに、船に乗ったときは有頂天になりました。ですから、船は古くて臭く、床の上で雑魚寝をしなければなりませんでしたが、まったく苦痛を感じませんでした。

しかし、妹が熱を出してしまいました。そこで、敦賀に上陸した際、ここで宿を取ることに決めました。父がどのようにして見つけてきたのかは分かりませんが、日本の旅館に泊まることになりました。畳の部屋の真ん中には火鉢があり、火が燃えていました。久しぶりに家の中の暖かい部屋で寝ることが出来たのです。そうです、それが、自由の地での最初の夜だったのです。

ところが、その記念すべき一夜はなにか変わった雰囲気でした。旅館の従業員とは明らかに違う、キモノを着た厚化粧の女性が大勢いました。楽器の音や人の笑い声が聞こえてきました。お客のような男性の出入りが結構ありました。どうやら、そこは……」

と、そこでクラカウスキー氏ははにかむように笑った。

「遊郭だったのですね……」と、私。

このとき、私はその「遊郭」を意味するつもりで、「brothel」という単語を使い、語彙の貧困さを露呈してしまった。

横に座っていた奥さんが思わずケラケラ笑い出し、ご主人に向かって言った。

「それって、house of ill repute のことね」

私には初めて聞く単語で、とっさには理解できなかった。

「つまり、〝評判の悪い家〟という意味なのですよ」

〈なるほど、〝評判の悪い家〟か。確かに、「遊郭」を指すにはピッタリの言葉だ！〉

私はいささか恥ずかしい思いをした。「brothel」は一般的には「売春宿」を意味し、あまりにも情緒に欠ける。私は思わぬところで英語の勉強をさせてもらった。

「あなた、ずいぶん早い時期に貴重な体験をしたのね」

アメリカ人特有のカラッとした奥さんのユーモアに、私はすっかり魅せられてしまった。

ところで、この奥さん、なんと「ナンシー・ハロー」の名前で２００９年に開催された「第25回つくば国際音楽祭」に出演したプロの歌手とのこと。７歳から大学時代までクラシック・ピアノを勉強し、その後パリに渡り、クラブでも歌っていたという。どうりでいつも笑顔を絶やさず、エンターテイナーそのものといった立ち振る舞いだった。

そのような華やかな世界に住んでいた人と、かつて難民として辛酸をなめてきた人の組み合わせに、私はなにかそぐわないものを感じた。しかし、クラカウスキー氏の苦労ははるか昔のことなのだ。そのような感じ方をする私自身が正しくないのだと思った。

そのとき、唐突にあることを思い出した。それは、映画監督の崔洋一氏の経験談である。

崔監督が韓国語を習得するためソウルに語学留学したときのこと。同胞である有名な映画監督が日本から来ているというので、マスコミが入れ代わり立ち代わり取材にやってきた。彼らは崔監督が在日としていかに苦労したかという〝お涙ちょうだい〟的な話を引き出そうと質問する。短気な崔監督はついに癇癪を起こし、「オレはそんな惨めな生活は経験していないんだっ！」と怒鳴った、という話である。

温厚そのものといったクラカウスキー氏は崔監督のように怒り出すことはないと思ったが、天真爛漫な奥さんの出現で、過去の暗い話はもうこの辺でいいだろうという気持ちになっていた。奥さんも交えて楽しく会話をさせてもらって十分だった。

大迫アルバムを見せながらの質問にも今回は熱が入らなかった。クラカウスキー氏の方も、これまでのサバイバーと比較して反応が弱かった。それはそれでやむを得ないことだった。

辞去する段になって、ささやかな手土産として持参した浮世絵のコースターを差し出しながら私は言った。

「いつかまたお邪魔することがあって、お茶をご馳走していただけるなら、これを使ってください」

我ながら図々しいことを言ったものだが、そんな言葉を喜んで受け止めてくれるクラカウスキー夫妻だった。

ワシントン訪問

ワシントンでは会うべき杉原サバイバーはいなかったが、どうしても訪れたい場所があった。合衆国ホロコースト記念博物館――。

1億8000万ドルの巨費を投じて1993年4月に開設。面積26万5000平方フィート、これまでの来場者総数3000万人以上。全米の主要都市にあるホロコースト博物館を代表する総本山的な存在の施設である。

9月10日、私は後出のリック・サロモン氏の紹介でここを訪問した。事前にアポを確認した際、係員が午前10時に裏正面の入口で待ってくれている旨を知らされた。遅れてはいけないと思い、9時30分に指定の場所に到着した。そこはちょっとした広場になっており、右手の建物の大きな

長身の部長さんとアイゼンハワー元大統領のメッセージの前で

壁面には碑文のようなものが刻まれていた。時間に余裕があったので、それを読んでみようと近づいていったところ、「アイゼンハワー」の文字が目に入った。かつてのアメリカ大統領とホロコーストとは、いったいどういう関係があるのだろうと怪訝に思いながら、その文章を読み始めた。

「ミスター・キタデ？」

振り向くと長身の紳士がにこやかに立っていた。名刺を交換して私は恐縮してしまった。「係員」どころか国際アーカイブス企画部の部長さんだ。時刻もまだ9時40分だった。簡単な挨拶の後、直ちに案内された会議室には2人の担当職員が待機してくれていた。

早速、大迫アルバムを見せたところ、3人の目は例の7人の写真が貼られてあるページに釘付けになった。

「一人の方のアルバムにこれだけの人たちの写真が残されているというのは、きわめて珍しいことです。しかも、日本の方のアルバムにとは……。

これは非常に貴重な資料です。お差し支えなければ、当館のアーカイブスに保存させていただきたいのですが……、ご了承いただければ担当者に指示してコピーを取らせます。高性能の機材を使いますから、コピーでもオリジナルと同じくらい鮮明に仕上がります」

私に異存のあろうはずはなかった。私一人だけが持っていては死蔵させるばかりだ。収まるべき場所で、しかも世界で最も安全な場所で半永久的に保存されるというのだから、大迫さんもこの写真の人たちも安心することだろう、と思った。

次に、私は本題に入った。

「実は、この人たちの消息を探し求めているのですが……。これまで、ヒューストン、ボストン、ニューヨークで7人のスギハラ・サバイバーに会ってきたのですが、手がかりは得られませんでした」

2人の職員がアルバムを手にし、会議室を出ていった。15分ほどして一人の職員が戻ってきた。

「残念ながら、それぞれの写真の裏書きから読み取れる名前や日付を基にチェックしたのですが、これという情報は得られませんでした。名前の記されていないものはもちろんですが、ファーストネームだけというのも手がかりが掴めません。姓名がはっきりしているものについては、スギハラ・リストを照合したのですが、該当者は見つかりませんでした。

もっとも、日本経由でアメリカに逃げてきた難民の中には、スギハラ・ビザ以外のビザでやって来た人たちも大勢いたでしょうからね。それに、ビザを申請したときの名前と写真の署名とは必ずしも同じとは限らないでしょうしね」

70年の歳月を経た人探しの難しさを改めて思い知らされた気がした。私がやや気落ちした様子を見せたためか、部長氏が、せっかくの機会だからアーカイブスの部屋や館内全体を見学していってはと勧めてくれた。

アーカイブスで閲覧させてもらった日本関係のファイルには、実に興味深い情報が満載されていた。その多くは敦賀経由で神戸に来て、しばらくの間そこに滞在した難民の人たちに関するものだった。氏名、生年月日に始まり、その後の足跡まで克明に記録されており、中には神戸滞在中に京都などへ旅行したときの写真まで添付されている。

〈もっと早く取り組むべきだった！〉

後悔の念が一度に押し寄せてきた感じがすると同時に、ニューヨークのマーシャ・レオンさんに言われた「10年遅かったわね！」の言葉が耳に戻ってきた。大迫アルバムの7人に限定せず、もう少し広範囲にユダヤ難民の問題に関心を持っていれば、さらにスケールの大きい取り組みが出来たのではないかと、情報の宝の山ともいえるファイルを前に私はそう思った。

〈ま、プロのライターでもないんだから、それほど悔やむことはないんじゃないか。ここまで来れただけでも上出来だと考えては……〉

諦めと慰めが相半ばした自分の声が聞こえてくるようだった。

その後の館内見学はホロコーストの重苦しさに息が詰まる思いだった。気がつくともう夕刻だった。私はもう一度、裏正面の壁面の前に戻った。今しがた館内で観た記録フィルムの中にアイゼンハワーが沈痛な面持ちで登場してきていたが、壁面の文章はそれに関連があることが分かった。

私が見た情景は筆舌に尽くし難い……。

実際に見聞きした飢餓、無慈悲、残忍、それらは余りにも凄惨であった。私は現場をつぶさに見て回った。それは、将来において、もし、この申し立てがプロパガンダの一言で片付けられることがあった場合、証人となるためであった。

ドワイト・デイヴィッド・アイゼンハワー元帥

連合軍最高司令官
オードゥルフ強制収容所
１９４５年４月15日

引き継がれた命

●リック・サロモン氏、シカゴ近郊在住、58歳。

シカゴから車で30分ほど北に向かって走ったところにスコーキーという町がある。3年前、この町に新しいホロコースト博物館が開館した。正式名称は「イリノイ州ホロコースト博物館・教育センター」。

私はワシントンからシカゴに移動した翌日の9月13日、ここを訪れ、今回のアメリカ取材旅行に際してなにかとお世話になったリック・サロモン氏に会った。

経緯はこういうことだった。

この年（２０１０年）の2月、イスラエルの主要日刊紙「イディオット・アハロノット」にイスラエル大使館から流してもらった「大迫アルバム」に関する記事が掲載された。それを目にしたサロモン氏から私にメールが送られてきた。

「私の父はスギハラ・サバイバーの一人で、ウラジオストク、敦賀を経由してアメリカに渡ってきました。私はその後で生まれたのですが、父は私が2歳のとき他界しました。新聞記事から判断して、父も天草丸に乗っていたのだと思います。乗組員が書いた航海日誌が残っているそうですが、それを見せていただくことは可能でしょうか？」

どうやら大迫さんの回想記が航海日誌と報じられたようだった。その旨を説明したところ再度メールが来た。

杉原リストNo.299のバーナード・サロモンさん　写真提供：リック・サロモン

「去年の3月に東京に行き、外務省の外交史料館を訪れてスギハラ・リストを見せてもらいました。そこには紛れもなく私の父の名前がありました。発給番号は299番でした。外交史料館を訪問した目的は、新しく開設するホロコースト博物館に展示するミスター・スギハラに関連する資料の貸し出しを依頼するためでした。私は準備委員としてスギハラ関連の資料集めに長年奔走してきました。どうか、近い将来、私たちの博物館を見に来てください」

その後しばらくして、私は外交史料館を訪問する機会があった。杉原千畝研究の第一人者のひとりである白石仁章氏（同館課長補佐）と意見交換するためだった。

「サロモンさんはお父さんの名前をリストの中に発見したとき、ハラハラと涙を流していましたよ。よほどお父さんを慕っておられるのでしょうね」

白石氏からその話を伺い、サロモン氏の人柄が偲ばれた。私はアメリカ行きの気持ちが急速に高まってくるのを抑えられなかった。

そのようなことから、初対面とは思えない親しみがあり、会話も弾んだ。彼が大迫アルバムの7人とはまったく関わりのない立場にあることは分かっていたので、別の観点から尋ねてみた。

「まったく仮定の話ですが、ある日、日本からライターがやってきて、この男性の写真を示しながらこんな質問をしたとしたら、あなたはどう思うでしょうか？

『私はこの男性の消息を追っています。ひょっとして、この人はあなたのお父さんではありませんか？』」

その瞬間、サロモン氏の視線は宙を泳ぎ、心なしか目が赤く潤んだ。私は見当違いの質問をしたのかと思った。

「いいえ、あなたの質問の意味はよく分かります。ぴったりした答えになるかどうか分かりませんが、以前、似たようなことを経験しました。

2000年5月にワシントンのホロコースト記念博物館で『Flight and Rescue（逃走と救出）』と題した特別展が開催されたときのことでした。スギハラ・サバイバーである私の父が写っている写真パネルも展示されました。私がその前にたたずんでいると、一人の婦人が通りかかり、その写真を見上げながら驚いたように言いました。

『アラッ、私この男性を知っていたわ。たしか2歳くらいの坊やがいたはずよ』

そこで、私は、その子どもはこの私です、と名乗りました。お互い感激のあまり手を取り合ったまま、しばらく声が出ませんでした。

その夜、私は留守宅の家内に電話をし、思いがけない出来事について報告しました。家内も電話の向こうで感極まっている様子でしたが、今夜は2人でお父さんのことを偲びましょうね、と言ってくれました」

私はアメリカに来て、また一つ心温まるプレゼントをもらった気がした。

別れ際、サロモン氏はさらにもう一つ素晴らしいプレゼントを贈ってくれた。

「これは私の大学生の息子、マーク（Mark）が書いたエッセイで、賞をもらいました。よかった

サロモン氏の家族。左端がマーク君　写真提供：リック・サロモン

ら読んでやってください」

少し長くなるが、一部を割愛して紹介したい。

「『一つの命を救うことは人類を救うことである――タルムード』

私の人生は１９８９年3月24日に始まったが、私の物語はそれより50年前、ナチスの軍隊に囲まれ国境を閉鎖されて戦火でズタズタにされたポーランドで始まる。何世代にもわたって伝えられてきた私の先祖たちの物語は今や私の物語の一部になっている。その主な登場人物はホロコーストを生き延びたポーランド系ユダヤ人のバーナード・サロモン、私の祖父である。もう一人は、私の家族にはまったく関係のない日本人外交官、チウネ・スギハラである。私の祖父の人生行路が現代のオデッセイである一方、ミスター・スギハラは私の考えの及ばない形で影響を与えてくれた。多くの人々が自分たちの周りの残虐性に背を向けたとき、リトアニアの日本領事は自分の良心に耳を傾けることによって信じられないことを成し遂げた。

自分の両親をナチスの侵攻から安全な場所に移すことに失敗した後、私の祖父はポーランドのムラヴァからリトアニアのカウナスまでの170マイルの距離を単独、徒歩で逃げなければならなかった。そこは有刺鉄線の張り巡らされた土地だったのである。祖父はその逃避行の話を十分に語ることなく、私の父が2歳になる前に他界した。1955年のことであった。

難民にとって状況がさらに絶望的になったとき、スギハラは私の祖父の弟を含む代表団にカウナスの領事館で会ってくれた。群衆の顔を一人ひとり見ながら、スギハラは勇気ある行動を取った。本国政府の命令に背き、家族と自分自身の身の危険を顧みず、1940年7月30日に私の祖父に2299番目のビザを発給してくれた。それはシベリア鉄道及び海路、日本への安全な通行を可能にしてくれた。祖父はその後、上海、次いでインドのカルカッタへ渡った。結局、スギハラは2139件のビザを発給してユダヤ人をホロコーストから救ってくれた。この人物の行動がなければ、私の祖父は強制収容所で命を落としたであろうし、父や妹もこの世に存在していなかったであろう。後の世代も含めるとスギハラは30万人の命を救ったことになるといわれる。しかし、その行為の結果として彼は外交官の身分を損なうことになり、また、ある一時期、東京で窮乏生活を余儀なくされることになった。

スギハラの行為は私にどのような影響を与えたのだろうか？　彼は、正義のためには正当でない法律は時には破らなければならないし、差別を助長するような公的な政策とは果敢に闘わなければならないことを教えてくれた。人間は実際に他人に出来ないことを実行できることを彼は示してくれた。民族間または人種間の憎悪はどんなものでも小さ過ぎることはなく、また無視することは出来ない。遊園地でガキ大将が他の生徒をいじめる場合でも、教室で勉強の遅れた子どもを馬鹿にしたりする無神経さがまかり通る場合でも、競技場でマイノリティーの選手に対して侮蔑的な言葉が投げかけられる場合でも、我々は傍観者になりたいと思う気持ちと闘わなければならない。私たちは常にホロコーストの広範な教訓を思い起こしながら、あらゆる形の憎悪と闘い、偏見の持つ怖さを教え、民族間の理解を深めるために態度を鮮明にしなければならない。（後略）」

このエッセイは、杉原千畝によって救われた一つの命が次の命に引き継がれ、さらにそれを受け継いだ命から生まれたものである。一人の杉原サバイバーの孫が、父親から聞かされた祖父のたどった苦難の足跡に寄せる思いが胸を打つ。

世界を動かしている超大物

●レオ・メラメド氏、シカゴ在住、77歳。

いよいよ最後の面談となった。しかも、相手は「金融先物市場の父」と呼ばれるアメリカでも有数の実力者だ。前出の敦賀の古江氏から「普通ならなかなか会ってもらえない大物だそうですよ」と聞かされていた。そう言われるとますます会いたくなるのが人情というもの。

〈そうだっ！〉と私はあることに気がつき、それを実行した。

「ミスター・メラメドからお返事がありました。喜んでお会いしたいとのことです。9月14日の午後3時15分に事務所でお待ちくださるそうです」

イスラエル大使館のミハル・タル書記官からのメールが目に飛び込んできた。〝駄目もとで〟とはよく言われることだが、まさにそれだった。それにしても「3時15分」とはいかにも分刻みのスケジュールの様子が窺え、はや緊張感に包まれた。

このアポが確定したのは、アメリカ訪問2カ月前の7月のことだった。

「金融先物市場」とはどういうものか、まったく無知の私はレオ・メラメド氏がどの程度の大物なのかも知らなかったが、なんでもこの世界で革命的な改革を行なった人物とのこと。

独自の評論活動で知られる副島隆彦氏の著書『世界権力者人物図鑑』には76人の〝世界を動かしている超大物〟が紹介されているが、その中にメラメド氏が入っている。ただ、「巨大な金融八百長市場を今も操る男」といったドギツイ表現が気になったが、これは著者のテクニックなのだろう。

一方、2010年2月に発刊された手嶋龍一氏の『スギハラ・ダラー』には「アンドレイ・フリスク」という人物が登場する。このくだりを読んでいるとメラメド氏の人柄をつい思い浮かべてしまうのは私ばかりではないだろう。手嶋氏自身はさるメディアのインタビューで、メラメド氏の印象を次のように語っている。

「そうです。そのレオ・メラメドが悠揚迫らぬ、あの風貌で飲み物のカップを持っていました。イグアスの瀑布を思わせるような大暴落のさなかに、たった一人で立ち尽くしていたレオ・メラメド。私にとって、その名は特別な響きを持っていたのです」

さて、当日――。

慎重を期して2時30分には目的地に到着し、ロビーで十分に呼吸を整えた後、3時過ぎに受付嬢の前に立った。約束の3時15分になったところで秘書嬢が出てきて、もうしばらくお待ちください、とのこと。待つこと約15分。そのとき、大変お待たせしました、とご当人の登場。

レオ・メラメド氏の著書と筆者にあてた直筆のサイン

〈普通のオジサンだ！〉

威圧感に圧倒されないかと覚悟していた私は、やや拍子抜けがした。かつての革命児も今や日本流に言うと〝喜寿〟を迎え、枯淡の境地を迎えつつあるのかもしれない。目の前のメラメド氏は、どちらかというと好々爺の趣があった。

「ニューヨークのマーシャから電話がありましてね、あなたと会った話をしてくれましたよ。

それは驚いたことでしょうな。そうなんですよ、彼女とは幼馴染みでしてねぇ。

ところで、今回のアメリカ訪問の目的は我々が乗った天草丸に関連した人探しとか……？

どれどれ、これがその人たちの写真ですか……。いやぁー、まったく心当たりはありませんなー。なにしろ、あの船に乗り込んだときは、真っ暗でして

「私のサイン？　いいですよ」と快く応じてくれたメラメド氏

ね。一番下の階のだだっ広い大部屋に詰め込まれましたよ。ベッドはもちろん、マットレスもない床の上に寝かされ、寒いものだから私は母にしっかりと抱かれて眠りました。

ところが、海は大荒れで、船は揺れに揺れました。大半の人はバケツを持って甲板に上がっていきましたね。それでも、臭いにおいが部屋に充満して、耐え切れませんでしたよ。

いやはや、あの〝ジャンクボート（オンボロ船）〟には参りましたな、ハハハハ」

「マーシャさんも、あの船は家畜運搬船だったから臭かった、だなんて言っていました。

私はなにもパトリオット（愛国者）を気取るつもりはありませんが（笑）、日本の名誉のために申し上げますと、あの船はけっして家畜運搬船なんかではありませんでした。日露戦争の戦利品としてロシアからもらい受けた代物で、後に外務大臣になった松岡洋右や重光葵などの政府の要人もあの船に乗っています。老朽船だったことは間違いないようですが……」

「いやいや、私はなにも家畜運搬船とは言っていませんぞ、〝ジャンクボート〟だと言ったのです、ハッハハッハハー。

ま、それはともかく、私たちはあの船のお陰で無事に日本に逃げて来られたのです。さらに元をたどれば、それはなんといってもミスター・スギハラのビザのお陰ですね。そして、日本という国に助けてもらった。それから、今あなたの話を聞いて、日本の旅行会社にも助けてもらったことを初めて知った。あなたの昔のボスの、オー……、そうそう、そのオーサコさんにもお世話になったようだが、心から感謝しておりますよ。

だから、船が古かろうと、臭かろうと、床の上で寝かされようと、そんなことは問題じゃない、何千人もの命を助けてもらったのですからな。

しかし、この写真を見れば、天草丸はちゃんとした船だったのですな、いやいや、私の認識不足でした。それに、このオーサコさんもなかなかの好男子ですな。たくさんの若い女性から写真を受け取ったのも頷けますな、ハハハハ……」

ヒューストンのヘイマーさんから数えると、それまでに会ったのは予定外の人も含め十数人に上り、私もかなり〝人馴れ〟してきたようだった。きわめてリラックスした雰囲気の中で会話を続けることができた。

「敦賀に着いたときのことや、その後のことについてお話しいただけませんか?」

「そうそう、それが肝心でしたな。それはそうと、マーシャが電話を掛けてきたとき、あの話は必ずしてあげるようにと言われたので、まずはそれからお話ししましょう。

それはこういうことだったのです。

10日以上もかかったシベリア鉄道の旅もようやく終わり、やっとの思いでウラジオストクに到着した我々は疲れた体を引きずって駅舎に向かいました。出国検査を受けるためです。駅舎はすでに大勢の難民でごった返していましたよ。ソ連の出国係官は荷物を一つひとつ注意深く点検していたんです。実は、それは金目のものを探しているんですな。見つけると、安全のためとかなんとか言って没収してしまうんです。実態が分かると、みんな、さあ大変だとばかり自己防衛策を講じました。

父の親しくしていた友人夫妻がやって来て言うには、13歳になる息子が金時計を持っている。取り上げられてしまうことは分かりきっているので、しばらくこの私に持っていてもらえないか、という依頼でした。子どもの私なら調べられないだろうと考えたのでしょうな。父はすぐさまOKしました。アミックという名の息子が私の腕にその金時計をはめてくれました。かくて我々の作戦は功を奏しました。私は得意でしたね。数時間とはいえ、そんな高価な時計を所有できたこと、その上、ソ連の権力に勝てたことが子ども心に嬉しかったのですな。それ以来、アミックの家族とは親戚以上の深い付き合いを続けていました。彼はその後、国務省の役人となり、ソ連関係の仕事を担当していましたね。ウラジオストクの〝ご縁〟というところでしょうかな。

さて、我々の天草丸が敦賀港に近づくと、雪に覆われた周囲の山々が眼前に迫ってきましてね、実にきれいな景色でした。冬だというのにとても暖かく感じましたな。それもそのはずです、零下何十度という極寒のシベリアからやって来たのですからな。

上陸して見た敦賀の町はまるで箱庭のようでしたね。家々はほとんどが木造で、家の中には紙で出来たようなドアも見えました。人々は麦わら帽子をかぶり、雪かきをしておったようです。私が抱いた印象はとても素朴で、親切そうでしたよ。それに、聞こえてくる言葉はまるで別世界のもので、本当に異国に来たなぁという感じだったですな。

そう、そのとおりです。私たちは敦賀から神戸に行きました。ここで4カ月ほど滞在したので、神戸にはいろいろ思い出が残っていますよ。

両親が教育熱心だったものだから、学校に行くことになりましてね、もちろん、イディッシュ語の学校なんかあるわけがないから、インターナショナル・スクールに入りました。外国の外交官やビジネスマンの子どもたちが来ておったようですな。学校で支給されたクレヨンのケースは今でも大事に取ってあります。表面に富士山の絵があしらわれて、子どもの絵心を起こさせるようです。最後の平和な時期だったのでしょうな。

ある日、地震がありましてね、そりゃあ驚きましたよ。生まれて初めての経験でしたからな。テーブルはガタガタと鳴り、壁に掛けてあるものはゆらゆら揺れ、みんな家の外に飛び出したものです。もし、１９９５年の神戸大震災のようなものが来ていたら、我々の仲間にも犠牲者が出たかもしれませんな。

ときどき、家族で町に出ることもありました。父は好奇心が旺盛でしてね、日本の食べ物になんでも挑戦して、大概のものは食べられましたが、タコだけはダメだったようです。口にしたとたん、顔は真っ青になって吐き出しました。なんのことはない、天草丸での再現でした。ハハハハ……。

実は、神戸滞在はそんなのんびりしたものではなく、我が家にとっては切羽詰まったものだったのです。というのは、我が家はアメリカ入国のビザを持っていなかったのですな。それを申請するには、神戸のアメリカ総領事館よりも東京のアメリカ大使館の方がいいということを聞いたので、父は頻繁に東京に行っていました。それでも心配だというので、父は友人と共同で東京にアパートを借り、大使館詣でをしました。神戸と東京の二重生活と行ったり来たりの生活で、父も大変だったと思います。

結局、きわどいところでビザを手にすることが出来、私たち一家は1941年4月初旬、晴れて横浜港を後にしました。

乗った船は『平安丸』といい、豪華客船とはいかないまでも、天草丸とは雲泥の差でしたよ。

2週間の太平洋上の航海は快適そのものだった。天候も安定しており、春の潮風は実に心地よかった。なんといっても食べる心配はいらない。これは食べ盛りの子どもにとってはありがたかったですな。途中で私と同じ年頃の少年と出会い、いいチェス仲間となりましてね、彼はインドから来たといい、ヒンズー語を話し、私はポーランド語とイディッシュ語を話し、お互いに言葉は通じなくても心は通い合っていましたよ。

この好機を逃してはならないと、父の〝教師魂〟が復活しましてね、この航海中にいろんなことを父から教わりました。日付変更線から始まり、地球の成り立ち、海洋の流れ、天気図などなど……。同じく元教師の母も、そんな私たちの姿を見て上機嫌でした。久しく見ることのなかっ

メラメド氏との記念写真

た母の笑顔が戻ってきて、子どもの私も嬉しかったですね。

そして、4月18日、ついに私たちはシアトルに到着したのです」

スケールの大きな冒険話を聞くように、私はメラメド氏の話に引き込まれていたが、時間の経過が気になり、腕時計を見てハッとなった。針はすでに4時半を指していた。秘書嬢から、私の〝持ち時間〟は約30分と言われてあったからだ。

そろそろ切り上げますとの意思表示の意味から、私はこれだけは伝えておきたいと事前に考えていたことを言った。

「私の取り組みは、杉原千畝さんのあの偉大な人道的行為を、富や名声とは無縁の世界で黙々と支えた人たちにスポットライトを当てたいとの気持ちから始まったものです。そのことをユダヤ人社会の人々にも知っていただきたいのです」

面談中、訥々とした私の英語にも終始穏やかな表情を浮かべ、丁寧に話してくれたメラメド氏の最後の言葉は私にとってなによりの激励だった。

「それは、そのとおりだね。いやいや、遠いところをよく来てくれましたな」

2011年4月3日、時事通信はメラメド氏が東日本大震災に際し「日本は今の苦難を乗り越えると確信している」とエールを送ったことを報じた。

さらに、震災後に略奪や犯罪が急増しなかったことに対してアメリカで称賛の声が上がっていることに触れ、「アメリカ人にはかなりの驚きだっただろう。でも私には驚きはみじんもない。世界で最も礼儀正しい人々だから」とコメントしたことも併せて伝えている。

※本章に登場した人々の年齢は2010年9月時点のものです――筆者

第5章

ユダヤ残影
―1941年の神戸―

第二次世界大戦が勃発した後、翌年の1940年後半から41年前半までの時期に集中して日本に逃れてきたユダヤ人の数はどれくらいに上るのだろうか？　諸説あるが、当時の入国外客統計は戦争の影響で残念ながら信頼すべきものが存在しない。

ところで、ここに『日本に来たユダヤ難民』と題する本がある。著者はゾラフ・バルハフティクといい、杉原ストーリーには必ず登場してくる。彼こそ杉原千畝と交渉し、日本通過ビザを出させる原動力となった人物である。彼は1940年10月に日本に到着した後、翌41年6月までの間、神戸、東京さらには上海の間を飛び回ってヨーロッパに残された同胞の救出のために尽力した。後にイスラエルの宗教大臣になり、1969年に杉原千畝と29年ぶりにイスラエルで再会を果たしている。

その人物が自著の中で「1940年7月から41年5月末までの11カ月間に4664名の難民が日本に到着した。そのうち2498名がドイツのユダヤ人で、残る2166名がリトアニアから来た難民だった」と記している。これが最も信憑性の高い数字であろう。

いずれにしても、これら四千数百名のユダヤ難民の多くは最終的な目的国（アメリカ、オーストラリア、中南米など）に渡航するための資金や書類が不備で、かなりの期間、神戸に滞在することを余儀なくされた。港を持つ国際都市神戸には1940年当時、すでに3000人ほどの外国人が居住していたが、そのうち数百人がユダヤ人で、彼らは早くから「神戸ユダヤ協会（Kobe Jewish Community）」を組織していた。そして、このとき苦境にあったヨーロッパの同胞を助けるために難民救済委員会を設置した。

当時の神戸

さて、「異人館」として知られる洋館が集まる神戸市中央区北野町山本通――。

「山本通」となっているが、それは通りの名前ではなく地区の名称で、ここがまさに彼らが身を寄せ、精神的拠り所とした神戸ユダヤ協会があった場所である。当時、これらの多くのユダヤ難民はどのようにしてこの界隈で生活していたのだろうか？

私が彼らの足取りを追い始め、調査を進める過程でふと疑問に思ったのは、敦賀市民による目撃証言が多く残されている一方で、神戸に関しては一部の新聞報道を除き、関連の記録や資料がきわめて少ない点である。ユダヤ難民が神戸に留まっていた期間の長さを考えると、敦賀の何倍もの目撃証言や記録が残っていてしかるべきではないか、という素朴な疑問が湧いてくるのだ。

その答えを私なりに見つけ出そうとすると――。

確かに、神戸は規模の大きい国際都市で、以前からも外国人が多く住んでいた。ユダヤ人が一時的に多くやって来たとしても、一般市民にとってそれほど珍しいわけではない。地方の小都市である敦賀と同列に扱うことには無理があるのではないのか、との結論に至った。私が面談した神戸の関係者にこの推論をぶつけたところ、一様に「そのとおりだと思いますね」との答えが返ってきた。

とはいえ、一般市民による目撃証言の形ではないが、いろんな場面にユダヤ難民たちが姿を現し、記録に残されていることが次第に分かってきた。

まずは新聞記事——。

1940年の終わり頃から41年の前半にかけて大勢のユダヤ人が滞在していたという事実は、やはり、戦前の神戸における〝大事件〟だったと言えよう。新聞が見逃すはずはない。私は日本郵船歴史博物館で貴重な資料を発見した。それは、1941年2月のある時期に連載された大手紙の記事であった。第3章で紹介した当時の福井新聞の論調が警戒的であったのと同様、こちらもけっして好意的なものではない。毎回の記事の見出しは以下のようになっている。

「金持ちルンペン — 神戸に怱ち〝避難街〟 —」

「よしッと二万ドル — 米の金閥から救援の小切手 —」

「投機好きで働き嫌ひ — 第二の祖国ソ連に住み得ぬわけ —」

「なぜ嫌はれるか ― 米国にさへ〝汗の工場〟がある ―」

記事の中身も「祖国なき民族……世界の無籍者……いま日本に氾濫……あらゆる国から追はれ、きらはれ……金の民族……流亡の民……」などなど、同情的というよりも冷笑的な表現が随所に見られる。

日独伊三国同盟が結ばれる8カ月前のことであってみれば、このような新聞報道も無理からぬことだったのかもしれない。しかし、この記事を読んだ一般読者はどのような印象を持っただろうか、気になるところではある。

小説では――。

妹尾河童著『少年H』では、主人公のHの父親がテイラーで、ある日大きな風呂敷包みを抱えて家に帰ってきた。中身はボロボロになった外套で、強烈な異臭を放っていた。親しくしている教会の神父さんから修繕を頼まれたとのこと。実は、それらは着の身着のままヨーロッパから逃げてきたユダヤ人たちのものだった。

野坂昭如著『火垂るの墓』では、主人公の清太少年が、髭を生やしたユダヤ人たちが夏の暑い日にコートを着たまま行列を作って銭湯に行く場面を回想している。

しかし、これらの小説では、彼らは一般市民からは温かい眼差しで見られていたことが窺え、ホッとさせられる。

漫画の世界にも――。

おなじみ手塚治虫の代表作『アドルフに告ぐ』では、ヒトラーにはユダヤ人の血が流れていたのではないかとの仮説を中心に、当時の神戸を舞台にして壮大なドラマが展開され、そこにもユダヤ難民が登場してきている。

私はこれらの小説や漫画を通して、神戸におけるユダヤ難民の姿を想い描いた。それは、具体的に語られた敦賀市民の目撃証言を通じて抱いたイメージとは別の、なんと言えばいいか、そう、〝残影〟のようなものだった。

神戸にはぜひ行ってみたい！

2012年の3月7日、私は神戸行きを実行した。そして、真っ先に訪れたのは兵庫県立美術館だった。

1941年当時、「丹平《たんぺい》写真倶楽部」というアマチュア写真家の団体が大阪にあった。そのメンバーの一人、安井仲治《なかじ》は将来を嘱望された新進気鋭のカメラマンだった。この安井が仲間と一緒に神戸のユダヤ難民を撮影した写真が、3月11日まで兵庫県立美術館で展示されていることを知ったからだった。

「安井仲治の位置」と題するテーマで展示された一群の作品の中に、ユダヤ難民を撮った写真が数点あった。そのうちの一つ、「窓」の前で私は釘付けになった。私が想い描いていたユダヤ難民の〝残影〟そのものだったからである。このとき、私は何か目に見えない糸で、この写真展に引っ張って来られたのではないかと思わずにいられなかった。解説書には、「被写体となったのは神戸の北野や山本通周辺に難を逃れてやってきた亡命ユダヤ人たちで……（略）。安井自身もこの作品には自負をいだいていたようで、『今度展観の「ユダ群作」は非常に評判が宜かったが、之は世の曰ゆる報道写真家なる者では到底できる仕事ではない』との言葉を残している」とある。

さらに、驚いたことがあった。ユダヤ難民を撮影に来た丹平写真倶楽部のグループは安井を入れて6人だったが、その中に手塚治虫の父親の手塚粲《ゆたか》がおり、仲間の一人が撮った一枚の写真には次男の手塚浩少年（治虫の弟）が写っていることを聞かされた。前記の『アドルフに告ぐ』は紛れもなく、手塚治虫の原体験から生まれたものなのだろう。

この写真展を担当した学芸員の小林公氏は学究肌の人で、ユダヤ難民の調査に並々ならぬ情熱を傾けていることが窺えた。まさに同志を得た思いがした。私が、敦賀市民の目撃証言の話を持ち出し、神戸に関するその類の資料が残っていないだろうかと尋ねたところ、2人の人物を紹介

故・安井仲治の作品『窓』　兵庫県立美術館寄託

してくれた。

翌日、私は山本通地区にある一宮《いちのみや》神社の宮司、山森大雄美《おおみ》氏を訪ねた。

「当時、私は３～４歳の子どもでしてね、ユダヤ人のことはうっすら記憶に残っている程度です。それにしても、10年遅かったですね。10年前なら私の母からいろんな話が聞けたと思いますよ。実は、母は95年の神戸大震災で倒壊したこの家の下敷きになったのですが、運よく救出されました。その後もずーっと元気にしていましたが、６年前に95歳で他界しました。

わざわざお訪ねくださったのに、これといったお話も出来ず恐縮に思います。ただ、当時、ユダヤ人が出入りしていた神戸ユダヤ協会があったとされる場所をお見せすることは出来ますので、よろしければご案内しましょう」

神戸に来たユダヤ難民の歴史において重要な役割を果たしたに違いない建物がどんな場所にあったかはぜひ知りたかった。私は山森宮司の厚意に甘えることにした。

〝往時茫々〟――。

都会の一隅の様を伝えるには相応しくない表現だが、現場に立ったとき、私はそんな感慨を抱いた。神戸を代表する繁華街の三宮《さんのみや》の近くにしては人通りもまばらで、当時あったはずだと言われる洋館の建物の痕跡すら見られない。目に入るのはごく一般的なビルばかりだ。わずかに当時

神戸市民との交流を示す貴重な写真。中央の少女がマーシャ・レオンさん
©MASHA LEON

のものと思われる石塀があり、山森宮司によると、それがまさしくユダヤ協会を囲んでいたものではないかということだった。

やはりあった市民との交流

実は、今回の神戸訪問に際しては、安井仲治の「窓」との出会いをはじめ、偶然と言うにはあまりにも不思議なことが相次いだ。その一つは、神戸に出発する日の朝、メールをチェックしたところ、ニューヨークのマーシャ・レオンさんからメッセージが届いていたことだ。

「以前、あなたにお話しした、私たちの神戸滞在中、市内のどこかの公園を散歩していたときに撮ってもらった写真が見つかったので、お送りします。この公園の名前は残念ながら記録がありませ

和服の日本女性は今どこに？
©MASHA LEON

ん。当時、私たち難民はカメラを持ち歩くことは禁じられていました。この写真を撮ってくれた日本人グループの誰かが私たちの滞在先に送ってきてくれたもので、これが唯一の日本での写真です。もし、あなたの方でこの場所がどこだか分かれば教えてください」

　ユダヤ難民と一般市民との交流の跡が窺える何かが得られればと期待して神戸行きを実施したのだが、なんと出発に先立ってその〝物証〟が転がり込んできたのである。それも、ニューヨークからだ。私は新幹線の中で２枚の写真の虜になっていた。

「さぁー、どこでしょうかね。写っている人たちの背後が斜面になっているところを見ると布引《ぬのびき》の滝の近くかもしれませんね。神戸市内にはもう一つ諏訪山公園というのがありますから、どちらかだと思いますね」

　山森宮司の見立てはこうだった。

　いずれにしても、ユダヤ難民と神戸市民との間にあった交流を如実に示す写真に、山森宮司はじめ神戸の関係者は一様に感動の表情を見せた。

県立美術館の小林学芸員が紹介してくれたもう一人は、関西学院大学教授の大橋毅彦氏だった。帰京する日の午前中、日曜日にもかかわらず大橋教授は快く面談に応じてくれた。それだけでも幸運なことだったが、それに加え、今回の神戸訪問において最大の驚くべきことが私を待ち受けていた。

「私の専門は日本近代文学でして、北出さんの切り口とは異なり、詩人の草野心平が戦時中の上海でここに避難して来たユダヤ人版画家のブロッホという人物に巡り会い、彼と共同で一冊の詩画集を刊行していることに興味を持ったのがそもそもの始まりなのです。それ以来、２００４年にはブロッホの遺作展が開かれたドイツのミュンヘン郊外にあるダッハウ強制収容所記念館にも行って来まして、日本近代文学と亡命ユダヤ人との関わりについて勉強しているところです。また、先月下旬には上海に行き、戦時中、日本軍によって設置された旧上海租界地のあった地域を実際に見て歩いてきました」

さすが、大学で教鞭を執っているだけあって大橋教授の話は分かりやすく、私は引き込まれるようにして聞き入った。

「そんなわけで、ユダヤ人の苦難の歴史という共通項がありますから、神戸のユダヤ難民のこと

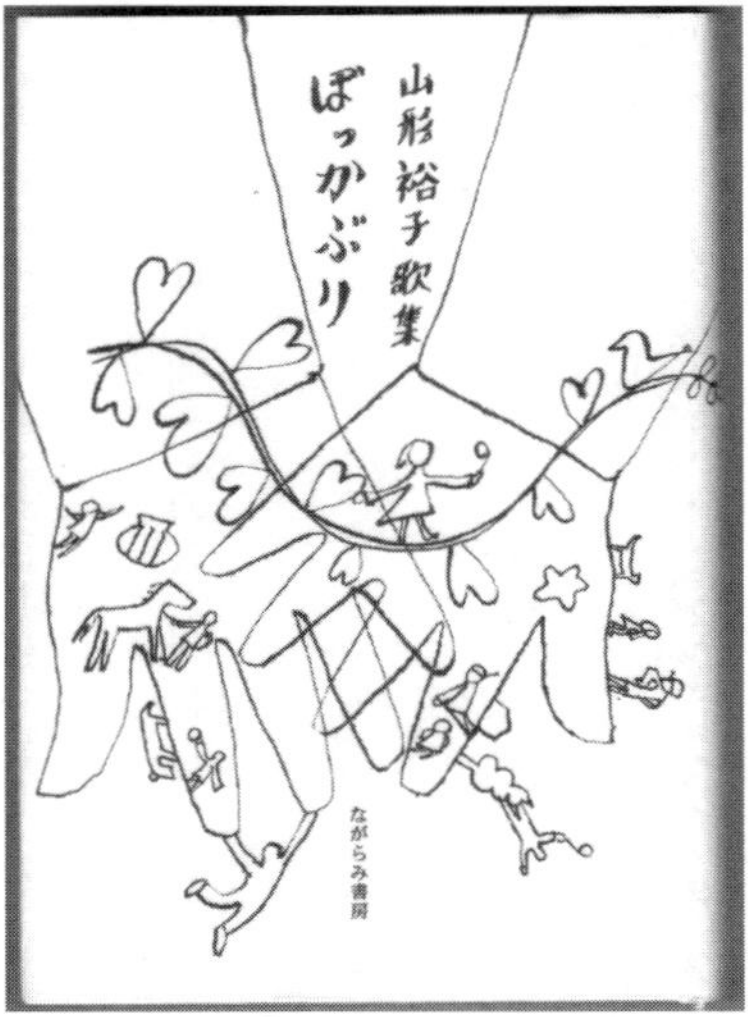

山形裕子歌集『ぼっかぶり』の表紙

にも大いに関心があります。少し前に、神戸在住の詩人で神戸モダニズム詩の歴史についての調査を長らく行なっている季村敏夫さんが出された『窓の微風』という本を読んでいて、『ぼっかぶり』という歌集の存在を知らされました。著者は山形裕子さんとおっしゃる神戸出身の方で、なんとその中にユダヤ難民のことを詠んだ歌が十数首ほどあることを知りました。これがその歌集のコピーです」

それはわが目を疑うほどの驚きだった。次に抑えきれない感動が湧いてきた。これこそ私が追い求めていたものだった。そこには市民の目線で眺めたユダヤ難民の姿が淡々と素直な筆致で描かれている。

行きの新幹線ではマーシャ・レオンさんの写真に夢中になり、帰りの新幹線ではこれらの歌の虜となってしまった。俗な表現だが、〝逆転ホームラン〟を放った心境だった。

夏の朝近所の大きな洋館にがやがや見知らぬ外人の列

まっ白な細い手足の女の子　いがぐり坊主の少年もいる

あれみんなドイツ語やけどユダヤだよ小さな声でジキオンが言う

汽車で来たユダヤはしばらくここに住むその後どこかへ行くんだそうだ

暑い日を洗濯ものも干せないで　なに食べてんのユダヤの人ら

夕立に駆け込んで来たユダヤの子　破《わ》れた大きな西瓜を抱いて

麦茶よと母さんの出すコップ受けてダンケシェーンとごくごく干した

八つかなあ九つかなあとおばあちゃんピンクの長い手足眺める

日本でも間なしにユダヤを抑えるぞ眉をひそめた父さんが言う
早うお逃げ　早うお逃げおばあちゃんユダヤの子供に蛇の目持たせた
扉《と》を押して出て来る出て来る早朝の道路に黒いユダヤの衆が
発つんやなユダヤは港へ向うんや　歯刷子持った父さんが言う
疵だらけの革のトランク重そうなユダヤの大人は冬服姿
夕立の昨日のピンクの少年も長いズボンに長袖のシャツ
おばあちゃんのあげた蛇の目が見当たらぬ　置いてゆくのかユダヤの人よ

おばあちゃんはお台所で独り言おお寒ぶ寒ぶサブ佐分利信

帰京した翌日、私は早速、都内在住の山形さんに連絡を取ったところ、幸いなことに当時の話を聞かせてもらえることになった。

「私が住んでいたのは阪急六甲駅の近くで、この地区にもたくさんの洋館建ての家があり、かなり以前から外国人が住んでいました。近所にジキオンとマレオンという名前のドイツ人姉妹がいました。お父さんは外交官でした。2人はよく喧嘩をしていました。叩き合ったり、噛み付いたり、髪を引っ張ったり、外国人の姉妹喧嘩の凄まじさに驚きました。

マレオンのお誕生日に招かれて行ったのですが、出された食事は、茹でジャガと茹で人参に塩をふりかけたものと黒パンだけでびっくりしました。逆に、私の母が持たせてくれた赤飯は食べてもらえませんでした。どうやら後で彼女の母親が捨てたようです。日本とドイツは同盟国同士なのに、食べ物は同盟できないのかなと子ども心に思ったものでした。

大勢のユダヤ人がやって来たのは、私の小学校1年の夏だったと記憶しています。数軒の洋館建ての家に分宿していたようでした。そんなに長く滞在していなかったように思います。いくつかのグループが入れ代わり立ち代わり来ていたようでした。ジキオンが小さな声で『あの人らはドイツ語を話しているけど、ユダヤ人なのよ』と教えてくれました。子どもなのに明らかに敵意を抱いているようでした。

ある日、一人の少年が父親と一緒にいるところを見かけました。彼は左手を父親の右腕に絡ませ、顔は父親の胸に当てていました。私の場合、父にはそんなことが出来ないのでとても羨ましく感じました。少年は右腕で割れたスイカを抱えていました。胸にはスイカの赤い汁が流れ落ちていました。近所の八百屋で値切って買ってきたのでしょう。

数日後、夕立が降ってきて、その少年が私の家に駆け込んで来ました。色の白いスラリとした手足を眺め、私の祖母は『八つかなあ、九つかなあ』とつぶやきました。祖母は、彼らが神戸にやってきた事情をある程度知っていたのでしょう、『早く逃げなさいね』と言って蛇の目傘を少年に持たせてやりました。

翌日、一行は隣の大工さんの家の空き地に集合し、出発していきました。夏の暑い日にもかかわらず冬服姿でした。少年は、と見ると、前日は半袖、半ズボンだったのに、長袖と長ズボンでした。でも、私の祖母が持たせた蛇の目傘は持っていませんでした。

それから4年後の1945年5月、ドイツが降伏した日の朝、ネトケさんという近所に住むドイツ人が日本人の奥さんとガス自殺をしたのです。以前からスパイの噂があったのですが、やっぱりそうだったのかと評判になりました。

終戦後、ドイツ人たちは収容所に入れられました。ジキオンとマレオンとはそれきり会うことはありませんでした。2人とも私とそれほど年齢は離れていませんでしたから、今頃どこかで元気に暮らしているかも分かりませんね。

ところで、私にはもう一人、忘れられない人がいます。アンニ・ビクトリウスさんというハンブルク出身のドイツ人で、ピアノの先生でした。昭和の初め頃に神戸にやってきたそうで、日本国籍を取得していました。そのため、終戦後も収容所に送られることなく、ピアノを教えながら平穏に暮らしていました。私が昭和29年に結婚したとき、住む家がなかったので、しばらく同居させてもらっていました。

そのビクトリウスさんは、実はユダヤ人だったのです。日本がドイツの同盟国だったので、出自を明かすことが出来なかったのでしょうね。昭和31年に親戚が住んでいるアメリカに渡って行きました。当時60歳くらいでしたから、もうお亡くなりになっていることでしょう。

私の歌が思わぬところで思わぬ方のお目に留まり、このようにわざわざお訪ねいただき、ありがたく思います。どうぞ、いかようにでもお使いください。私にとっても大変光栄なことです」

〝わずか三十一文字の歌は一巻の小説にも勝る〟とは私の知り合いの歌人が生前に言っていたこ

とだが、山形裕子さんの16首の歌は、まさしく、ホロコーストを逃れたユダヤ難民の逃避行の一こまを見事に浮かび上がらせていると言える。私はこの出会いに心から感謝しなければならないと思っている。

恩を忘れないユダヤ民族

さて、本章を終えるにあたって、ぜひとも書き記しておかなければならないエピソードがある。

私が、神戸市灘区の牧師、斉藤信男氏の存在を知ったのは、福井テレビが２００６年に制作したドキュメンタリー、「扉開きしのち　～敦賀に降り立ったユダヤ人の軌跡～」を通じてであった。

旧日本ホーリネス教会の牧師だった同氏の父親の源八氏が、当時のユダヤ難民に温かい手を差し伸べたという話が紹介されていた。

「キリスト教の牧師がユダヤ人を援助するなんて、普通に考えればあり得ないことですよね。教会に招待したり、リンゴを配ったりしていましたよ」

そのような父親の思い出を語る信男氏の表情は、誇らしげで清々しかった。

〈神戸訪問の際はぜひお会いしたい！〉

そう思った私は関西で教会関係の活動に携わっている友人に、信男氏との面談のアレンジを依頼した。

「もしもし、北出さん、斉藤牧師のところに電話しましたよ。ところが、残念なことに斉藤さんはなんと1カ月前にお亡くなりになったそうです。いやぁー、私も驚きましたよ」

あまりのことに、私はとっさに返事をすることが出来なかった。このときも「10年遅かったですね」という声が、どこからともなく聞こえてくるようだった。

「代わりにと言ったらなんですが、ご子息の連絡先を教えてもらいましたから、電話してみてはどうですか？　なにかいいお話を聞かせてもらえればいいんですがね」

子息の斉藤善樹氏もやはり牧師で、幸い東京都内に在住だった。

「そうなんです。つい、1カ月前のことでした。享年85でした。

杉原ビザのユダヤ難民と祖父との話は生前の父から少しは聞かされていましたが、なにぶんにも昔のことでしてね。残念ですが、あまりお役に立てそうにもありません。なにか気がついたことがあればお知らせします」

突然の電話にもかかわらず、善樹氏は丁重に対応してくれた。私はそれに対し謝意を述べ、関連資料を送ることを約した。数日後、善樹氏から予期しない心温まるメールが送られてきた。

「早速に資料をありがとうございました。綿密に取材をしておられることがよく分かります。

さて、以下の話はお役に立てないと思いますが、杉原ビザに関して私自身が経験した印象に残る出来事です。

3年ほど前、あるクリスチャンのツアーグループの団長としてイスラエルを訪問したときのことです。エルサレム市内のレストランで皆で昼食をとっていたときに、我々が日本人であることに気づいたのでしょう、40歳前後と見える家族連れの婦人が話しかけてきました。我々が日本人であることを確認し、日本の皆さんに感謝したい、私たちは杉原ビザによって救われた子孫です、と言ってきたのです。話によると、彼女の祖父がそのビザで祖国を脱出しシベリアを経由して妻と幼い息子（婦人の父親）を連れて日本にやって来たというのです。日本にしばらく滞在した後に、オーストラリアに渡ったということですが、日本のどこに滞在していたのですかと聞くと、「神戸です」という答えでした。彼女自身はオーストラリアで生まれ育ち、結婚し子どももいらっしゃるのですが、恐らくおじいさまから繰り返しその話を聞かされたのでしょうね。今回、先祖の故郷を訪ねる目的で、家族一同でイスラエルにやって来たということでした。私は驚き、私自身が神戸出身であること、祖父がその際、ささやかな関わりを持ったことを伝えました。彼女も驚き喜んでくれました。

私は不思議な気持ちを持つと共に、恩をいつまでも忘れないユダヤ人の民族性に感動しました。

以上、なんとなく知っていただきたく思い、記しました。
今後の調査取材に期待しております。頑張ってください。

東京聖書学院教会　　斉藤善樹」

後日、私は東村山市に住む善樹氏を訪ねた。牧師そのままの誠実な人柄を感じさせてくれる人物だった。

「あのときは本当に感動しました。おじいさんが受けた恩に対するお礼を、旅先で出会った日本人にわざわざ伝えようとするのですからね。あの杉原千畝さんの場合も、その昔、助けられたイスラエルの外交官がやっとの思いで探し当てたという話ですね。しかし、恩を忘れない分だけ恨みも忘れないようですね、ユダヤの人は。ハハハハ……」

ユーモアのセンスもなかなかの牧師さんだった。

第6章

日本郵船が果たした役割

バルハフティク氏の奔走

前章の冒頭で言及したゾラフ・バルハフティク著『日本に来たユダヤ難民』では、日本郵船がユダヤ難民の輸送にどのように関与したかが紹介されている。複雑な背景が絡み合っているので簡単には説明しづらいが、要点を記すとこういうことであった。

１９４０年10月に日本に到着したバルハフティク氏（以下、バ氏と呼ぶ）はヨーロッパに取り残された同胞の救出に全身全霊を打ち込んだ。その頃、日本の船会社は第二次世界大戦のあおりで客足が遠のき、営業面で苦労していた。バ氏はそれに乗じる形で日本郵船にある提案を持ち込んだ。

それは、リトアニアでヨーロッパ脱出の手段を必死に求めているユダヤ難民を日本に呼び寄せるため、日本通過ビザを取得するにあたって郵船の協力を得る。その見返りとして難民が次の行き先国に渡航する際は郵船の船を使う、というものだった。ビジネスの観点から郵船にとっては悪い話ではなかった。両者の間で合意が成立した。

さすが、日本を代表する船会社である郵船の影響力と信用力は大きく、モスクワの日本領事館はビザ発給に応じた。バ氏側は第１次難民５００名分の行き先国（このときはパレスチナ）への移民許可を取得し、一人あたり20ドル、合計１万ドルの保証金を年末までに郵船側に支払うことになった。

この資金調達のためバ氏は、ＷＪＣ（世界ユダヤ人会議）をはじめ世界各地のユダヤ人組織に援助を依頼したが、各団体の思惑が入り乱れ、約束の期日までに保証金を郵船側に払い込むことが出来なかった。交渉にあたった郵船側の担当者は激怒した。バ氏が支援要請のため世界各地に送った無数の電報の控えを見せても納得しなかった。おとなしいと思っていた日本人が激しく怒る様を見て、「日本人の知らなかった一面を見るようだった」とバ氏は回想している。

救いは、日本で待機していたユダヤ難民のためにパレスチナ行きの乗船券を大量に予約してあったことだった。これにより、郵船側の怒りは多少とも和らいだようだった。

このように第１次移送計画は挫折してしまったが、アメリカ行きを前提とした第２次分については、モスクワ扱いが１２５名、カウナス扱いが88名とそれなりの成果を得ることが出来た。しかし、バ氏にしてみれば、「第１次の際、各団体の理解を得て日本郵船に対する約束を守っていれば、もっと多くの難民を日本に来させることが出来たはずだ」と、いつまでも悔恨の念が残ったようである。

ところで、日本に逃れてきたユダヤ難民の数については前章で述べたとおり、バ氏自身の推測で四千数百名と見られている。この数字には、バ氏と日本郵船の連係プレイによらず、独自に入手したビザで日本に来た難民の数も当然含まれているだろうし、例の杉原ビザの保持者も含まれていたことは想像に難くない。

いずれにしても、これら多数のユダヤ難民が、次の、または最終目的の国へと発っていったのは横浜港か神戸港からであっただろうし、このとき、彼らが乗った船の大半は日本郵船所属のものであっただろうことは間違いのない事実である。

ここでは、それに関連したテーマでしばらく記述を続けたい。

貴重な神戸支店レポート

取材活動を進めるうちに私は、日本郵船の当時の神戸支店長が本社に送ったレポートが外務省の外交史料館に保存されていることを知った。そこで、2度目の外交史料館訪問となった。

「当地滞留猶太人情況報告の件」——。

発信人は神戸支店長高橋一雄、宛先は本社社長、日付は1941（昭和16）年4月9日となっている。前章で紹介した、記者の主観の入った新聞記事とは違い、淡々と事実が述べられており、当時のユダヤ難民の実態を知る上できわめて貴重な記録といえる。主な内容のみを取り上げると以下のようになる。

――３月31日現在、兵庫県外事課の調査によれば、滞留者の数は１７１３人。うち約７割が男性で、約１０００人のドイツ系以外は主にポーランド系。

生活実情については、約１０００人はほとんど生活費もなく、在米ユダヤ人協会からの送金により、当地の神戸ユダヤ協会が、一日１円20銭の割で小遣い銭として支給。食パンは一日１斤の割で県外事課の斡旋で配給を受けている。これは、パンを求めて市内をウロウロするのを防止するためとのこと。

これらの１０００人は主として灘《なだ》、青谷《あおたに》、北野、山本通などに散在、21軒の洋式家屋に分宿、時には一室に12人くらい同居している場合もあって、非常に惨めな生活を営んでいる。これらの人々が三々五々街を散歩する姿は、神戸の町では異様な情景とも言える。そろそろ関係者の間で問題になりつつあり、巷でも話題となってきており、県当局としても彼らの早期出国の手配に苦慮している模様。

右の１０００人以外の約７００人も当地に到着した際ほとんど無一文の状態で、在米の親戚、友人などから仕送りを受けホテル、アパート等に分宿している。彼らは直接ユダヤ人協会の救済下にあるわけではないが、ホテル内では食事を取ることは稀で、食パンや野菜類を自室で食べている。

一人の宿泊者に数名の友人が来訪し、共同で浴室を使用し、カーペットを汚損するなどの不都合が多く、来客は紅茶一杯の金もホテル内に落とさない実情にあるため、某一流ホテルは一時、20人ほどの宿泊者があったものの漸次縮減、目下は4人のみ引き受けているとのこと——。

外交史料館の閲覧室で私は感慨深かった。七十余年という歳月で黄ばんだこのレポートは、私を当時の神戸におけるユダヤ難民の世界に運んでいってくれた。

ニューヨークで取材をさせてもらったマーシャ・レオンさんは、ある日、母親と友人の4人で市内の公園を散歩中に日本人グループと一緒に写真に収まった。シルビア・スモーラーさんは、比較的恵まれており、神戸滞在中に両親と仲間のグループで京都に遊び、清水寺の前で記念写真を撮った。シカゴのレオ・メラメド氏は生まれてはじめて地震を経験したほか、家族で訪れた市内の日本食堂で父親がタコに挑戦して目を白黒させた。

その後、この人たちは無事にアメリカやカナダのビザを取得することが出来、希望に胸を躍らせながら横浜から発っていった。レオンさんとメラメド氏は「平安丸」で、スモーラーさんは「日枝《ひえ》丸」で……。そう、いずれも日本郵船の船だった。

NYKマンの回想

２０００（平成12）年3月6日付の「日本経済新聞」によると、日本郵船がかつてユダヤ難民を輸送した〝縁〟で、5月からワシントンの合衆国ホロコースト記念博物館で開催される特別展、「逃走と救出」に資金面で協賛することになった旨、報じられている。

この記事の中で、ユダヤ問題研究家の滝川義人氏は「商売とはいえ、ユダヤ人を客として扱ったことは、彼らにとっては大変な善意と受け取られたのではないか」との談話を寄せている（滝川氏は前出の『日本に来たユダヤ難民』の訳者としても知られている）。これに関し、日本郵船では「ユダヤ人を差別することなく運んだのは会社の誇りの一つ」とコメントしている。

もう一点、私の目を引いたのは、１９４１年当時、横浜支店の船客係だった乾三郎氏（90）が１９８５年に英文の回想記をまとめた、との箇所だった。「回想記」という文字に私の胸が鳴った。大迫さんの回想記を連想したからだ。ぜひとも読みたいと思い、日本郵船歴史博物館に照会したところ、幸い閲覧させてもらうことが出来た。『Ｅｘｏｄｕｓ―二〇世紀の大脱出―』と題するＢ５サイズで70ページに及ぶ長文の労作だった。

ただ、予想とは異なり大迫さんのような船上勤務の回想記ではなく、さらに幅が広いものだった。当時の世界情勢から始まり、ユダヤ人問題にまで及び、そして同氏の日本郵船における歩みなどが記されていた。英文の校閲は、かつて横浜のユダヤ難民救済委員会のメンバーであったハインツ・マイベルゲン氏の協力を得たとあるが、両氏の並々ならない熱意から生まれた貴重な資料である。

私は乾氏に会いたいと思った。しかし、それはしょせん叶わないことだった。この日経新聞の記事が出た2000年当時、同氏は90歳の高齢ながら健在だったようだが、それからすでに12年が経過していた。果たせるかな、記録に残されていた同氏の連絡先の電話番号は通じなかった。

〈もう10年早かったら！〉

またしても、〝もう10年〟の壁に立ちふさがれた思いだった。ならば、せめて関係箇所を拾いながら、当時の乾氏の姿に触れてみたい。

乾氏の日本郵船における海上勤務は1928（昭和3）年に始まり、主にハンブルクを中心とする東回りの欧州航路が専門だった。39年4月、2等パーサーとして「讃岐丸《さぬき》」の担当になったのが戦前における最後の海上勤務となった。11月の2度目の航海で忘れられない出来事に遭遇した。太平洋を横断しパナマ運河経由で大西洋に出るコースだった。横浜港を出発しロサンゼルスに向かっていたある日、東京本社から緊急の電報が入った。

「照国丸《てるくに》、ドーバー海峡航海中魚雷を受け沈没」

その頃、ヨーロッパではすでに第二次世界大戦が始まっており、大西洋の海上でも連合国と枢軸国が戦っていた。しかし、讃岐丸はパナマ運河を通過し、カリブ海、そして大西洋へと向かった。毎日、甲板では非常事態に備えて訓練が行なわれた。夜は船腹の日の丸の旗をライトアップした。そんなとき、東京本社から緊急電が入り、ロンドンに代えてリバプールに入港せよとの指示。当初の予定では、ロンドン、ロッテルダム、アントワープに寄港し、最終のハンブルクに入ることになっていた。指示に従いリバプールに到着したのは12月31日だった。ここで1カ月の滞留を余儀なくされた。予定どおりのコースを進むか否かの議論のためだった。船長は乗員と船舶の安全を考え当然、変更の立場だった。ところが、ロンドン事務所長は営業の立場から予定どおりを主張した。最終決断は東京本社に委ねることになった。結果、コース変更と決まり、讃岐丸は1月30日にリバプールを離れ、スエズ運河を経由して帰国することになった。

実は、この2度目の航海ではもう一つの出来事があった。ロンドンを変更してリバプールに向かうためセント・ジョージ海峡に入ったときだった。ドイツのUボートの攻撃を受け、沈みかけているギリシャの船からSOSを受信した。直ちに救助に向かった。しかし、同時にSOSを受けていたデンマークの船が一足先に現場に到着し、讃岐丸に無線を送ってきた。

「本艦、ギリシャ船救助す」

残念ながら、讃岐丸は国際海上救助レースでメダルを取りそこなってしまったのだ。

それはさておき、その直前にドーバー海峡で魚雷に沈められた「照国丸」の事件は、まさに悲劇的だった。第二次世界大戦で犠牲となった最初の日本の船となったわけで、太平洋戦争が始まるまだ2年前のことだった。

実は、この照国丸だが、その前の航海（1937年7～8月）でイタリアのナポリから約100人のユダヤ難民を乗せ、上海まで運んでいる。そのうちの何人かは神戸まで来たそうである。これは、照国丸に乗船勤務していた乾氏の同僚が語ったことなので、間違いない話だ。そうなると、日本郵船はかなり以前から、しかもヨーロッパと日本以外の国の間でもユダヤ難民を輸送していたことになり、その貢献度はきわめて高かったことが窺える。

ところで、乾氏とユダヤ難民の接点は――。

同氏は1940年の半ばに長かった海上勤務を終えて陸に上がり、横浜支店の旅客係となった。そして、41年2月から約6カ月間、アメリカに渡るユダヤ難民のために船の予約の業務を行なった。40年は皇紀二六〇〇年にあたり、日本国内ではいろんな祭典や催しが行なわれ、アメリカの日系人の里帰りが急増した。長期間日本に滞在した彼らが帰国する時期にぶつかったため、北米航路の船の予約は容易ではなかった。

　ユダヤ人の客たちは毎朝、乾氏が出勤するのを待ち構えており、「私の乗る船は決まったか？」「いつ乗船できるのか？」と質問をしてきた。

　実のところ、乾氏が仕事の上でユダヤ難民と接したのはこの程度で、それほど密度は濃くなかったようだ。にもかかわらず、この一大回想記を書くことになった動機は何なのであったのだろうか？

　それは――。

　１９８３（昭和58）年10月のことだった。イスラエルから弁護士と医者のミッションが日本を訪れ、会議が行なわれた。その際、日本側代表の内田剛弘弁護士が杉原千畝の話を披露した。それを聞いた乾氏は、戦前、自分が船の予約で面倒を見た人々がそのユダヤ人たちだったことに思いあたった。それに気づいた同氏は強い使命感に駆られ、関係者に会ったり資料集めに奔走したりして遂に『Ｅｘｏｄｕｓ―二〇世紀の大脱出―』を完成させた。

　大迫さんの回想記と並んで、日本がユダヤ難民に関わった歴史の上で燦然と輝く一大叙事詩と言えよう。

若き料理人の使命感

さて、今回の取材活動の最終段階で、これ以上は望めないと思われる人物に会うことができた。日本郵船歴史博物館の紹介によるもので、まったくの幸運だった。

「あのときはコック冥利に尽きました」と今村繁氏

その人物、今村繁氏は1939（昭和14）年にコックとして日本郵船に入社。都内の一流ホテルの総料理長を最後に1993（平成5）年に現役を引退。90歳の現在もかくしゃくとしており、私の取材に快く応じてくれた。70年以上も前のことをよどみなく話すその記憶の正確さに驚かされた。

「最初の1年間は南洋航路の船に乗っていましたが、昭和15（1940）年5月、突然の転船命令を受けましてね。任務は、日本郵船が引き受けたユダヤ人一行約200名の食事の世話でした。

いやぁー、それはもう正視に堪えないほどの哀れ

楽洋丸（9.419トン・1921〜1944年）　写真提供：日本郵船歴史博物館

さでしたよ。身に着けている服はボロボロ、履いている靴はパクッと口を開け、体は痩せ細っていました。そんな人たちが次から次へとタラップを上ってくるんですね。目を向けるのが憚られるような光景でした。

我々の船は『楽洋丸《らくよう》』と言いましてね、もともとは東洋汽船に所属し、南米への移民専用の船として使われていました。大正15（１９２６）年、日本郵船との合併により日本郵船所属となりました。

当時、私は弱冠19歳、血気盛んな年頃でしたよ。社からは、乗客はヨーロッパを追われてきた気の毒な難民の人たちだから、十分にお世話するようにとの命を受けていました。

よしっ、チーフに負担をかけては申し訳ない、自分が中心になって料理の準備をしよう、と心に決めたわけです。最初の2日間はすべて消化の良いものを作りました。98パーセント吸収されるというタピオカを使ったり、朝のオートミールもなるべく柔らかくしたりしましてね。サンフランシスコまでの約2週間、毎朝4時前に起き、ジャガイモ、玉ネギ、キャベツなどの食材を細かく切る作業をしましたよ。

ある日、息抜きに甲板に出ました。すると、数人の乗客が水平線の向こうに沈もうとしている夕日をじいーっと眺めているんですね。当時、私は彼らがどうしてヨーロッパから逃げ出してきたのか、その背景をよく理解していたわけではありません。しかし、東洋汽船の司厨長をしていた父から、ユダヤ人は世界中の人々から嫌われているが、だからといって理由もなく差別するのはいけないことだと教わっていました。そして、今、私の目の前に佇んでいる彼らはいかにも苦難の道を歩んで来たことを思わせるように、寂しげな背中を見せていました。その瞬間、私は抑えることのできない感情がこみ上げてくるのを感じ、この気の毒な人たちをなんとしてでも無事に目的地まで届けてあげなければならない、と気持ちを新たにしたものでした。

楽洋丸はホノルル、ヒロを経て無事にサンフランシスコに到着しました。船が埠頭に着岸すると、彼らは本当に嬉しそうにデッキを降りていくんですね。私は数人の仲間たちとデッキの手すりの上から見送りました。彼らはいくつかのグループに分かれ、何台かのバスに分乗しました。

そのとき、最後に残った40～50人のグループが我々の方に手を振ってくれたんです。その中の一人が隣の仲間になにか話しかけました。そうすると全員が一斉に声を上げ、激しく手を振り始めるんですよ。それはどうやらコックの帽子をかぶっている私に向けられているようでしたが、なぜだか分かりませんでした。

後になって、その理由が分かりました。船がサンフランシスコに到着する直前、一行の代表数人が我々のパーサーのところに挨拶に来て、こう言ったそうなんです。

『飲まず食わずの状態で逃げてきた私たちにとって、この船で受けた厚遇は一生忘れられません。水が自由に飲めて本当に嬉しかったです。またその水がとてもおいしかったです。パンもおいしかったです。そして、出された料理はすべておいしかったです。お陰で私たちは生き返ることができました。どうか、食事の世話をしてくださった料理当番の方々に私たちの感謝の気持ちを伝えてください』

そのことをパーサーから直接聞かされて労をねぎらわれたとき、私はコック冥利に尽きると思いましたね。

私がユダヤ難民の人たちをお世話したのはこのとき１回きりでしたが、その後、20年以上も経てまったくの奇縁とも言うべき出会いを経験しました。それは、私がホテル・オークラで宴会の責任者として働いていたときのことです。東京オリンピックが始まる少し前でしたから、昭和39（1964）年だったと思いますね。なんと、あの杉原千畝さんにお会いしたんですよ。杉原さんが蝶理《ちょうり》という会社に役員で迎えられ、その歓迎食事会での出来事でした。私が担当者として挨拶のために顔を出したんです。主賓の席に座っている人物の前に『杉原千畝』の名札が置かれてありましてね、『千畝』という変わった名前がとても印象に残りました。私がその日の料理について説明したところ、杉原さんはそのつど頷いてくれていました。大柄な方ではなかったですが、控え目ながら端正な顔つきをされていました。

その後さらに年月を経て、今から十数年前のことでした。横浜の高島屋で『六千人の命のビザ』の写真展が開催されていることを知り、急いで見に行きました。その頃はすでに杉原さんの偉業は広く知られるようになっており、私も、ホテル・オークラでお目にかかったあの人物が『命のビザ』の杉原千畝さんだったことを承知していました。

展示されている写真の中には、まさに私が昭和15年に楽洋丸で目撃したのと同じような光景がありましてね。あの悲惨な姿をしたユダヤ難民の人たちのことを思い出し、感無量でした。

ちょうどその頃のことでした。杉原幸子夫人が日本郵船歴史博物館に来られましてね、次のように話していかれたとのことを、郵船の関係者から聞かされました。

『私のところには、主人が発給したビザで助かったユダヤ人から多くの感謝状が寄せられていますが、その中に楽洋丸の乗船者からのものがあります。その方は、自分たちは日本に逃れてきたときはかなり弱っていた、しかし、楽洋丸で出された食事のお陰で体力も回復し、アメリカに到着したときはすっかり元気になっていた、自分たちが現在、こうして元気に働いていられるのも、楽洋丸のお陰なのです、と感謝していました』

これを聞きましてね、私は数十年前にサンフランシスコでパーサーからよくやった、と褒められたときの感激を再び味わった気がしましたよ。やっぱり真心というものは通じるものなんですね」

以上のストーリーを時には淡々と、時には感情をこめて今村氏は語ってくれた。その間、テーブルに置かれたグラスの水を、一度も口にしないほどの熱の入れようだった。

考えてみると、一定期間まとまった数のユダヤ難民と集中的に接した人は、今や、今村氏を除いてはいないのではないのだろうか。そう思った瞬間、私はこれはきわめて貴重な話を聞かせてもらったものだと、改めてその幸運に感謝した。

そして、今村氏に対しその気持ちを伝えようと私が発した言葉から、思ってもみなかった事実を聞かされることになった。

「どうも長時間、大変貴重なお話をありがとうございました。今伺ったようなお話の記録が、歴史博物館にはたくさん残っているのではないかと思っていましたが、意外なことにあまり残されていないようですね」

「それはですね、こういうことによるものだそうですよ。これは、私が以前、郵船の関係者から聞いたことなんですがね、ご承知のように、戦時中、郵船は国からの命令で船はほとんど海軍に徴用されましたね。つまり、海軍の支配下に置かれたわけです。そこで、終戦になって、GHQの陸上輸送司令部から命令され、書類をすべて供出しなければならなくなったのです。で、書類を運び出す日、風が吹き荒れ、書類は運搬車から風にあおられて空中に舞い上がっていったそうです。それを見た通行人たちが一斉に落ちてきた書類を拾い集め、持ち去ったそうです。理由は分かりますか? 当時は物がありませんでしたね。そうなんです。トイレットペーパー代わりに使われたんです。ま、真偽のほどは分かりませんが、戦後悲話の一つですね。いずれにしても、あれだけ多くの船の航海日誌がなくなったというのは、日本郵船だけの損失ではなく、日本の海運界、いや日本の国全体の損失とも言えるんじゃないかと思いますね」

ああ、日本郵船

私は前後4回にわたって日本郵船歴史博物館を訪れ、多くの貴重な資料を閲覧させてもらった。中でも、1956（昭和31）年7月に刊行された『日本郵船株式会社七十年史』における浅尾新《しん》甫《すけ》社長の序文は胸に迫ってくる。

「……（前略）……しかるに今次太平洋戦争に際会してわが海運界は壊滅的打撃を蒙り、当社も世界に誇った船隊と過去の蓄積とを一挙に失い、創業以来未曾有の難局に直面したのみならず……（後略）……」

さらに、本文中に記載されている「戦争の被害」を示す諸々のデータには心が痛む。

開戦時に保有していた船は222隻、129万トンであったが、戦争で失ったのは実に185隻、113万トンであった。残ったわずか37隻のうち、在来船としてどうにか使用に耐えたのは7隻のみで、そのうち大型の優秀船はなんと氷川丸だけであった。

人的被害もまた痛ましい。犠牲となった社員は、戦死735名、殉職4422名、合計5157名に上っている。

戦争の凄まじい破壊力と非情さを伝えて余りある。

そのような状況にあって、数千人を数えたであろうユダヤ難民を自由の地に送り届けた日本郵船の船たちを、私たちは忘れてはならないと思う。

しかも、それらの船はただ1隻を残して、そのほとんどが今は海の底で眠っているのだ。

終章　氷川丸抒情

少々因縁めいた話になるが——。

海軍に徴用され、横須賀港を後にしてトラック諸島に向かっていた「氷川丸《ひかわ》」に「日枝丸」の悲報が届いたのは1943（昭和18）年11月6日のことだった。トラック島の南西370マイルの地点でアメリカの潜水艦の攻撃を受けて撃沈されたのだ。乗員290名は「新田丸」から航空母艦に改造された「冲鷹《ちゅうよう》」に収容された。その冲鷹もまた1カ月後の12月4日に、房総半島・野島崎南方200マイルの地点で米潜水艦の雷撃を受けて沈没した。「日枝丸」と「氷川丸」の姉妹船であった「平安丸」は翌年の44年2月18日、トラック港内で米海軍による空襲で轟沈《ごうちん》した。

日枝丸はシルビア・スモーラーさんが、新田丸はイーディス・ヘイマーさんが、そして平安丸はマーシャ・レオンさんとレオ・メラメド氏がそれぞれアメリカに渡る際に乗った船だった。さらに、多くのユダヤ同胞を救うために命を捧げたゾラフ・バルハフティク氏が、やはりカナダ経由でアメリカに渡るのに乗ったのが氷川丸だったのだ（そのときの写真が残っている）。

私が初めて氷川丸に出会ったのは、大学入学後、横浜の山下公園に遊びに行ったときだった。周囲を山に囲まれた盆地育ちの私には、海はいつも憧れの場所だった。その海を見渡す山下公園の前に係留されている氷川丸の姿は優美そのものだった。いやが上にも、いつかは外国に行ってみたいという気持ちが煽られた。1962（昭和37）年の春のことだった。

あれからちょうど50年の時が流れた。リタイアしてからでも8年が経つ。現役時代は仕事でスイス、アメリカ、韓国と3度の海外駐在を経験した。その意味では、青春時代の夢は叶えられたことになる。

２０１２年2月28日、私は日本郵船歴史博物館を訪問した後、半世紀ぶりに氷川丸を訪ねた。50年前は船内を見学したのかどうか、今となっては思い出せない。おそらく、外から眺めただけだったのだろう。しかし、この日はぜひともじっくり見たいと思った。

船内を一巡した後、デッキのベンチに腰を下ろした。この冬は例年になく寒く、顔に当たる潮風はかなり冷たかった。その冷たい風が私をある思い出に浸らせてくれた。

１９７４（昭和49）年1月——。

私はアムステルダムの中心を流れる一本の運河沿いの道路を歩いていた。

このときの私は、ある種の興奮と期待感に包まれ、頬を刺すような真冬の冷たい風もむしろ心地よかった。

プリンセン通り２６３番地——。

ここにある建物の前に立った私は、長い間憧れていた人に初めて出会うときのような胸のとき

氷川丸（11.622トン・1930年〜）写真提供：日本郵船歴史博物館（４枚とも）

新田丸（17.150トン・1940〜1943年）

平安丸（11.616トン・1930〜1944年）

日枝丸（11.621トン・1930〜1943年）

めきを感じた。現在ではミュージアムとして人気の観光スポットになり、毎年多くの訪問者を迎えているようだが、私が訪れたときは、くすんだこれといった特徴のない建物だった。わずかに「Anne Frank House」の看板が、ここが現代におけるユダヤ人迫害の歴史の上で大きな意味を持つ場所であることをひっそりと示していた。

『アンネの日記』が日本で初めて出版されたのは1952（昭和27）年のことで、私が実際に読んだのはおそらくその3〜4年後のことだったと思う。日記をつけ始めたアンネの年頃に近づいていたので、内容もよく理解でき、多感な時期の彼女の心情に共感できたことも記憶に残っている。

それから数年経た1959年に映画化が実現した。ミリー・パーキンズ演じるアンネの悲劇は私の心を鷲づかみにした。終わり近くになり、密告によって隠れ家がナチス親衛隊員と警官に踏み込まれる場面は強烈だった。ピストルをかざし、軍靴を鳴らしながら階上に通じる階段をドヤドヤと上っていく数人の男たち。遂に本棚に偽装された扉が開けられ、中にいた8人全員が拘束されるシーンは今なお私の脳裏に焼きついている。

まさにその現場である隠れ家の偽装本棚の前に立ったとき、私は鬼気迫る空気に襲われ、全身に鳥肌が立つのを覚えた。警官たちの怒鳴り声に始まる阿鼻叫喚の場面が眼前で展開しているような錯覚に陥った。入場する前に感じていた胸がわくわくするような気持ちはどこかに吹っ飛んでいた。１時間以上はいただろうか、ふと気がつくと私一人きりだった。それがまた私をいたたまれない気持ちにした。

重苦しい雰囲気から逃れようと、アンネの家を後にした私は近くのコーヒーショップで一休みすることにした。

今しがた目にした資料では、アンネたちが逮捕されたのは１９４４年8月4日、すでに30年が経過していた。アンネが姉のマルゴットと一緒に送り込まれたベルゲン・ベルゼン強制収容所で死亡したのが１９４５年3月頃で、16歳になる前だった。

〈今生きていれば、まだ45歳という人生の盛りではないか！〉

『アンネの日記』を通して私は、ただユダヤ人というだけの理由で差別され、人生を破壊され、人間の尊厳まで奪われてしまった民族の存在を知り、彼らの迫害の歴史に強い関心を抱くようになった。そして、後年、アンネの家を訪れたことにより、ユダヤ人たちがどのような辛酸をなめたのかを肌で感じることができた。

これらの体験が、私のユダヤ人に対する特別な感情——同情とか憐憫とかではなく、畏敬の念、とでも言えばいいのだろうか——を育んでくれたことは紛れもない事実である。

山下公園前で保存されている「氷川丸」　写真提供：日本郵船歴史博物館

今振り返ってみると、ユダヤ人と共に行く私の旅が始まったのはこの辺りからだったように思える。

40年近く前の感傷から立ち返った私はベンチを離れ、バルハフティク氏はどの場所で記念写真を撮ったのだろうかと想いを巡らせながら甲板上をあちこち歩いてみた。

思えば、杉原千畝と交渉して日本への通過ビザを発給してもらうことに貢献した同氏は、いわば杉原サバイバーたちの第二の恩人である。その恩人の乗ったこの氷川丸だけが戦禍を免れ、生き延びたというのもなにか暗示的なことのように思えてならなかった。

おそらく、バルハフティク氏はアメリカまでの航海中、自分がヨーロッパ脱出に手を貸した何千人もの同胞たちの無事を祈り続けていたことだろう。と同時に、救出し切れなかった何倍もの同胞に対する自責の念に駆られてもいたことだろう。

それと同じように、氷川丸も1961（昭和36）年に山下公園前に係留されるようになって以来、戦争の犠牲となった無数の同僚船の霊を慰めつつ、自分だけが生き残ったことを心の中で詫びているのではないだろうか。

暗い時代に灯された日本人の善意の象徴として、氷川丸にはいつまでもその優美な姿を見せ続けてほしいと願わずにはいられない。

おわりに

大迫さんから見せられた7人のユダヤ人の写真に動かされてから、はや14年の時が流れました。なんとか世に知らせたいと決心して、ご長女の國本美恵さんからアルバムを借り受けたのが3年前のことでした。それを持ってまずは敦賀に行き、それから一足飛びにアメリカはヒューストン、ボストン、ニューヨーク、ワシントン、シカゴを駆け巡り、帰国後は神戸、横浜とたどってきたわけです。

結局、この7人はどうなったのか?

残念ながら今日に至るまで、彼らの消息は掴めていないというのが正直な答えです。

私の取り組みについては、国内の大手数紙が取り上げてくれました。対外的にはＡＰ通信の東京支局による配信が絶大な力を発揮してくれ、アメリカをはじめとする海外の数々の英字媒体が記事を載せてくれました。また、イスラエルの主要日刊紙も取り上げてくれました。

マスコミだけでなく、イスラエルのホロコースト博物館である「ヤド・バシェム」がサイト上で情報提供を呼びかけてくれました。

そのほか、アメリカのユダヤ人コミュニティーを対象としたメディアも協力してくれました。

これらの広報活動に対して何件かの反応がありましたが、いずれも手がかりには結びつきませんでした。今日の情報伝達手段をもってしても、70年の歳月の壁は厚かったということなのでしょうか。

しかし、私はこれでよかったのかなと思っています。もし、ことがうまく運び、容易に人探しが成功していれば、本文の中で記述したような展開は見られなかったと思います。

一例をあげれば、186ページでご紹介した山形裕子さんの短歌との出会いです。これは本当に大きな驚きであり、喜びでした。本書を出すことによって、また予期しない出会いが待ってくれているのではないかと密かに期待しているところです。

最後になりましたが、今回の出版にあたり種々ご支援賜りました以下の皆様方に厚くお礼を申し上げます。お世話になった経緯に従った順序及び敬称略で記載させていただきますことをお断りいたします。

國本美恵（大迫辰雄氏ご長女）、井上脩（日本海地誌調査研究会会長）、古江孝治（前・人道の港 敦賀ムゼウム館長）、榎本哲也（東京新聞したまち支局長）、白石仁章（外務省外交史料館課長補佐）、ミハル・タル（駐日イスラエル大使館参事官）、中山晶子（同大使館広報担当補佐官）、伊藤明（ＪＴＢ・ＯＢ）、外川宇八（ＪＴＢ・ＯＢ）、千原嗣朗（ＪＭＣ海外情報部長）、波潟郁代（ＪＴＢ前広報室長）、大久保泰（朝日新聞記者）、河野寿太郎（駐日イスラエル大使館広報担当補佐官）、平岡洋（ＮＰＯ杉原千畝命のビザ理事）、キャッツ邦子（在ニューヨーク）、酒井詠子（在ニューヨーク）、川井優子（在ニューヨーク）、尾花信子（在シカゴ）、ヒラ・ツァドカ（駐日イスラエル大使館広報担当補佐官）、間宮忠敏（前・日本政府観光局理事長、元・日本郵船副社長）、清水繁（日本郵船歴史博物館館長）、赤嶺正治（同館前館長代理）、赤塚佳彦（日本経済新聞記者）、脇屋伯英（日本郵船歴史博物館館長代理）、今村繁（日本郵船ＯＢ）、山田和実（八百津町地域振興係長）、井上春樹（ＪＴＢ・ＯＢ）、小林公（兵庫県立美術館学芸員）、神谷千晶（神戸新聞記者）、山森大雄美（一宮神社宮司）、大橋毅彦（関西学院大学教授）、山形裕子（歌人）、斉藤善樹（東京聖書学院教会牧師）、畑史代（友人）、鑑継透（敦賀市国際交流貿易課主事）、中井聡（友人）、楠みどり（神戸市ユネスコ協会会員）。

特に、本書の出版を快くお引き受けくださいました交通新聞社・前取締役第2出版事業部長の林房雄様、および編集者として誠心誠意お世話くださいました同部次長の邑口亨様に心から感謝の意を表します。

２０１２年4月　北出　明

主な参考文献

『六千人の命のビザ』（杉原幸子著、大正出版）
『真相・杉原ビザ』（渡辺勝正著、大正出版）
『自由への逃走』（中日新聞社会部編、東京新聞出版局）
『日本に来たユダヤ人』（ゾラフ・バルハフティク著、滝川義人訳、原書房）
『千畝』（ヒレル・レビン著、諏訪澄、篠輝久監修・訳）
『日本とユダヤ　その友好の歴史』（ベン・アミー・シロニー、河合一充共著、ミルトス）
『日本はなぜユダヤ人を迫害しなかったのか』（ハインツ・E・マウル著、黒川剛訳、芙蓉書房出版）
『ユダヤ人はなぜ殺されたか』（ルーシー・S・ダビドビッチ著、大谷堅志郎訳、サイマル出版会）
『一五〇〇〇人のアンネ・フランク』（野村路子著、径書房）
『Rachel and Aleks』（シルビア・スモーラー著、iUnivers）
『エスケープ・トゥ・ザ・フューチャーズ』（レオ・メラメド著、可児滋訳、ときわ総合サービス）
『スギハラ・ダラー』（手嶋龍一著、新潮社）
『諜報の天才　杉原千畝』（白石仁章著、新潮選書）
『日本交通公社七十年史』（株式会社日本交通公社）
『日本国有鉄道百年史』（日本国有鉄道）
『観光文化・別冊2006 July』（伊藤明編著、財団法人日本交通公社）
『日本郵船株式会社七十年史』（日本郵船株式会社）

エピローグ

この度、交通新聞社さんから再重版のお知らせをいただいた際、真っ先に思い出されたことがありました。それは、初版が出たのは2012年6月のことでしたが、その直後に一面識もない方からメールをいただきました。

曰く、「ご新著を感動のうちに一気に読ませていただきました。杉原千畝氏が発給した〝命のビザ〟で多くのユダヤ人が助けられた話は知っていましたが、彼らの逃避行にジャパン・ツーリスト・ビューロー（ＪＴＢの前身）が関わっていたことを初めて知り、長年の疑問が一度に解けた思いです」

幸いなことに、評判が評判を呼び、2年後の2014年6月には英訳版も出されることになりました。お陰で、私がインタビューした米国在住の杉原サバイバーにも読んでもらうことができました。そのうちのお一人からは次のようなコメントが寄せられました。

「我々が助けられた背景には、きっと多くの人々の助力があったのではないかと思っていましたが、あなたの本を読んでやはりそうだったのかと思いを新たにしました」

今や、〝命のビザ〟と言うと、杉原千畝氏の代名詞のようになっている感がありますが、本書によって新たな認識をお持ちくださる方々が国内外で増えてきていることを嬉しく思います。

北出　明（きたで あきら）
1944年三重県上野市（現・伊賀市）生まれ。66年慶應義塾大学文学部仏文科卒、国際観光振興会（現・国際観光振興機構＝JNTO）に就職。ジュネーブ、ダラス、ソウルの各在外事務所に勤務。98年国際観光振興機構コンベンション誘致部長。2004年JNTO退職。著書に『風雪の歌人』（講談社出版サービスセンター）、『争いのなき国となれ』（英治出版）、『韓国の観光カリスマ』（交通新聞社）、『釜山港物語』（社会評論社）、『Visas of Life and the Epic Journey』（朝文社）がある。17年「平成29年度外務大臣表彰」受章。

交通新聞社新書044
命のビザ、遥かなる旅路
杉原千畝を陰で支えた日本人たち
（定価はカバーに表示してあります）

2012年６月15日　第1刷発行
2021年11月12日　第3刷発行

著　者——北出　明
発行人——横山裕司
発行所——株式会社　交通新聞社
https://www.kotsu.co.jp/
〒101-0062　東京都千代田区神田駿河台2-3-11
電話　東京（03）6831-6550（編集部）
　　　東京（03）6831-6622（販売部）

印刷・製本—大日本印刷株式会社

ISBN978-4-330-29112-3